KB171670

이정표 없는 인생 행로

이정표 없는 인생 행로

발 행 | 2024년 07월 10일
저 자 | 백 은송 필명 금쏭
펴낸이 | 한건희
펴낸곳 | 주식회사 부크크
출판사등록 | 2014.07.15.(제2014-16호)
주 소 | 서울특별시 금천구 가산디지털1로 119 SK트윈타워 A동 305호
전 화 | 1670-8316
이메일 | info@bookk.co.kr

ISBN | 979-11-410-9442-3

이정표 없는 인생 행로

백 은 송

글을 시작하기 전에

인생 행로: 사람이 살아가는 일생의 앞길을 예측할 수 없는 나그넷길에 비유하여 이르는 말

(출처:네이버)

제가 처음 "인생 행로"라는 단어를 접하게 된 것은 엄마가 쓴 시에서 시작되었습니다. 글의 뜻을 알아가면서 책을 접할 시기에 봤던, 그 시는 엄마가 스무 살에 쓴 시였습니다. 그만큼 오래된 시이고, 제가 본 지 꽤 오래되었음에도 가끔 떠오르면서 '내가 엄마를 닮아서 글을 담는구나.' 하며 그냥 멍하니 시를 느낄 때가 있습니다. 마냥 글이 좋아서, 책이 좋아서, 글을 담는 것도 있지만 엄마를 닮아서 글을 좋아하고, 책도 좋아하는 거 같아요.

어린 시절, 내가 쓴 글이 시중에 판매가 된다면 어떤 기분일까 하는 꿈을 꾼 적이 있습니다.
그 꿈을 이룬 지금은 어떤 기분일까요? 처음에는 어안이 벙벙하며 신기했고, 지금도 여전히 신기하고, 글을 어떻게 하면 잘 전달할 수 있을지 대한 고민이 커지고 있습니다.

이번 책을 준비하면서 작가로 불리게 해준 첫 번째 책을 다시 읽었습니다. 나의 색깔을 어떻게 표현하고 싶었는지, 그 당시에 어떤 감정과 감성으로 글을 담았는지에 대해 생각해보는 시간을 가지며 준비했습니다. 초등학생 때, 교과서와 공책 끝을 찢어서 쓴 글들의 감성과 20대부터 작가로 불리며 새롭게 담은 글들, 앞자리가 3으로 바뀐 후에 담은 글들이 많이 다르단 걸 다시 느끼며 고민을 했습니다.

그 시절, 그때의 감성이 그리운데 아무리 담으려 애써봐도 나오지 않는 걸 보면, 지나온 시간만큼의 무게가 작용한 거 같습니다. 사랑, 이별, 우정, 그리움, 행복이란 감정들과 일상을 보내며 겪는 모든 것들이요. '살아가는 인생 행로 속에서 전하고픈 이야기를 모두 담아보자.' 하는 마음으로 4번째 책을 마주하게 되었습니다.

이정표 없는 길 위에서 우리는 어디로 갈지, 하고자 하는 것들이 어떻게 흘러갈지, 어떤 일을 겪을지 몰라요. 그렇게 우리는 이정표 없는 길 위에서 각자의 길을 만들어가고, 그 길 위에서 여러 일을 마주하며, 다양한 사람들을 만납니다. 여러 상황에 울고 웃고를 반복하고, 사람에 웃고 울기를 반복합니다. 오랜 친구와 별말 하지 않고 걷기만 해도, 함께 해온 시간이 떠올라 혼자 웃기도 합니다.

그러다 같은 방향으로 가는 새로운 친구를 만나 함께 하면서 새로운 이정표가 만들어지기도 합니다. 그렇게 걷고 또 뛰기도 하면서 쉬어가는 구름 같은 존재라고 생각해요. 많은 게 달라질 수 있는 길로 갈 때도 있으며, 쉬어가는 길로 갈 때도 있으니까요. 우리는 각자가 만든 길 위에서 이정표를 만들고 있습니다. 그 길이 실패라고 할지라도 돌아올 길마저도 스스로 만들어갑니다. 나만 아는, 돌아보고 싶지 않은 길조차 누군가에 의해 만들어졌다 할지라도, 돌파구든 도피처든 내가 가고 있는 길 위에 이 글이 담겼다는 사실. 지금 새로운 길 위에 있으니 잘 견뎠다고 토닥여 주고 싶은 마음으로 글을 담아봅니다.

그럼 제가 담은 〈이정표 없는 인생 행로〉 시작하겠습니다. 함께 해주세요:D

CONTENT

글을 시작하기 전에

1장. 잔잔한 파도에서

계절 잊은 봄바람…14 새싹의 인사…16 예뻐 보이는 이유…17 이 순간이라서…18 시루 속 신호등…20
같이 가자…22 끌림 이끌림…24 떠나지 않을 거야…26 돌탑의 증명…28 모두의 꿈일지라도…29 우리 세상 그리고 내 세상…30 하염없이 흐르다 보면…31
웃음꽃 퍼즐…32 Most reliable…34 나답게 살자…35
4월의 홀씨…36 고백이란 건데…38 First Light…40
그대로 사랑해도 그대…41 네 품에 폴짝…42 사랑하니까…43 간지러운 아지랑이…44 일상으로 스며든 설렘…46 Propose letter…48 품에 안은 채 약속해…49 Never change…50 전율의 종소리…51
Bloodshot mind…52 Darling you…54 Timeless Five-colored Pearls…56 목소리로 그린…58

One's heart…60 I know true love…62 깊은 사랑이라서…64 차곡차곡 아낌없이…65 안녕, 또 피운 꽃잎…66 밤하늘에 뜬 고백…68 Something…70 버튼 눌린 심장…71 응원해…72 사계절 피는 꽃…73 가슴에 가꾼 꽃밭…74 그대 품 안의 꽃…76 피어난 무지개…78 End up with smile…80 예고 없는 흐름…82 나도 예쁜 사람…84 그렇게 그렇듯이…86 내 자리 내 역량…88 충분히 빛날 수 있다…90 같이 또 혼자 달리기…92 모든 순간 주인공…94 메마름에 물줄기…95 이마저도 이슈…96 情의 편안함…98 그 시절 소꿉친구들아…100 살고 있다 얘기하는구나…102 등대…104

2장. 이정표 없는 갈림길에서

우울의 나…106 빈집의 온기와 냉기…108 반보다 못한 반…109 긴 다리의 끊김…110 인연의 소용돌이…112 정처 없이…113 단단한 연결고리라면…114

맞을 이유 없다…116 맛없는 눌은밥…118 겉도는…120 부지런한 기복…121 괜한 기름…122
혼자 아니니까…123 내가 나에게…124 띄웠으니…125 마르지 않는 솜…126 조각구름…127 시간에 변화된…128 내 것이 아닐까 봐…129 숲의 사계절…130
빛 좋은 얼룩…131 구슬프게 뚫린 추억…132 마음의 집 태우기…133 이별의 칼날…134 끝이라는 할퀌…136 마주친 호랑이 장가가는 날…138 완벽이란 암막 커튼…139 사랑 매듭…140 사람도 사랑도…142 타버릴 그리움이라서…143 슬라임일까 반죽일까…144 질문 속 질문…146 불같은 짝사랑…147 도돌이표 시련…148 엇갈림이라고…149 흔적도 쉽다면…150 급류를 마주한 갈대…152 젓가락도 다르다…154 다른 끝의 기준…156 굳이 만드는 선…158 수긍이 수금으로…159 나이의 반격…160 담은 눈동자의 그리움…162
여러 뿌리들이 얽히면…164 길 위의 마지막 잎새…166 젖은 편지…167 검은 안대…168 머금은 시린 恨…169 빚 그리고 빛…170 더하기와 빼기…171 얼어붙은 사춘기…172 흘러내림의 마침표…174 오래된 굴뚝처럼…176 치우칠 수 없다, 공존한다…178

아스라이 피워낸…180 믿음 뒤에 숨은 양날…182
자꾸 멀어지는 결승선…184 전용 대나무 숲…186
돌아오기 싫어…188 나만 느끼는 출렁다리…190
발길이 드르니…192 달콤함의 회유…193 이별의 아픔…194 채우고 비우는 월요일…196 채우고 비우는 금요일…198 변화에 던지다…200 나만 알던, 이젠 드러낼…201 제자리인 듯 찾은 제 자리…202 굳이 그렇게…203 단단한 굳은살처럼…204 끊어지지 않는 끈…205 내가 만든 이정표…206 곁의 종착지…207
버릴 부스럼…208 흉터의 새살…210 METRONOME…212 작심삼일의 고무줄…214 자리의 이미지…216
잡초의 뿌리처럼…218 노새…220 무대의 긴장감…221
어떻게 해야 할까…222 회피 아닌 해피를 위해…224
연중무휴 메모장…226 뛰어 날아보자…228 빵빵한 백점…230 규정 속도로 가도 집…231 닫힘 버튼…232
벌이 별 되어…234 호수가 바다 되려면…236
다행이야…238 몽글몽글…240 장식장에 쌓인 세월…242 My life story…244 마음의 조명…246
울타리의 이야기…248 이정표 없는 인생 행로…250
잘 가요…252 Not alone on the voyage…254

3장. 끝없는 오르막길에서

생일 그리고 panda…256
노래와 함께 한 아이…266
드리워진 어둠…274
「　　　　　　　」…284
하늘에 띄우는 조각구름 l _ i …290

책을 담으며

1장

잔잔한 파도에서

계절 잊은 봄바람

나이에 꽃을 피우고
꽃을 피운 나이에 마주하고

스쳐 지나간 인연
스치듯 지나간 인연

꽃을 피운 나이에 마주하고
스치듯 지나간 봄바람

나이에 꽃을 피우고
스쳐 지나간 봄 내음

비추는 달빛 아래 마주하고
떠오르는 햇빛 아래 스치고

나이에 꽃을 피운 채 스치고
비추는 달빛 아래 꾹꾹 누르고

꽃을 피운 나이에 스치고
떠오르는 햇빛 아래 꽁꽁 누르고

스치듯 지나간 봄바람
스치듯 피워낸 봄 내음

치이듯 지나간 인연에 봄 내음 흩날리고
마주한 인연에 봄바람 일렁인다

새싹의 인사

웃음이 난다
가려운 곳이 긁힐 정도로 난다

웃음이 핀다
가려운 곳이 긁어지듯이 핀다

소소한 웃음이 피어오르고
소탈한 웃음이 날리고 있다

스르륵 녹아내리는 예쁜 웃음이 피어나고
사르르 흘러내리는 예쁜 웃음이 날린다

웃음이 난다
웃음이 핀다

가려운 곳이 긁히면서 새어 나오는 웃음에
포근한 설렘이 가슴을 뛰게 한다

예뻐 보이는 이유

흔들리지 않는 꽃이 어디 있으랴
흔들리지 않는 가지가 어디 있으랴

흔들려도 부러지지 않는 강직함
흔들려도 꺾이지 않는 굳건함

걱정은 양분이 되고
시간은 중심이 되고
강직함은 믿음이 되고

흔들리지 않는 것이 어디 있으랴
바람 타고 향기 타고 구름 타고 달빛 타고

굳건한 마음이 뿌리박히고
강직한 마음이 그 자리에 있다면
흔들리는 꽃이 예뻐 보이는 이유다

이 순간이라서

걷고 또 걸으며
함께 걷는 발걸음이 가벼운 채

쉬지 않는 대화에도
쉬지 않는 목소리

추위도 따스하게
추위에 발걸음도 산뜻하게

걷고 또 걸었다
함께 걷는 발걸음과 함께 번지는 웃음소리

끊기지 않는 대화에
끊기지 않는 주제가 마냥 즐겁고

매서운 바람에도 함께 해서
얼어붙은 마음도 따스하게 녹아내리며

함께 할수록 좋은 추억 남기고
함께 할수록 감동 물결 넘실넘실

넘을 수 없는 시간이라
실컷 웃어본다

시루 속 신호등

빽빽한 일상의 흐름
숨 돌리려 서서 기대는 것도 힐링

이어폰에 기대고
따뜻한 핫팩에 기대고
시원한 음료에 기대고

빽빽하게 흘러가는 일상
숨 돌릴 수 있는 유일한 기쁨

음악에 기대고
나의 힐링 요소에 기대고
나의 공간에 기대고

빽빽하게 흐르고 흘러
마음 편히 숨 고르는 이 시간

누워서 쉬고
보면서 쉬고
먹으며 쉬고

빽빽한 일상이 살아있음을 알려주고
숨 쉴 수 있는 다양함을 알려주고

go, back, break 할 수 있는 매일의 흐름이
시루에 담긴 콩나물 같아도
웃을 수 있기에 살아간다

같이 가자

어디 가니
데리고 가지

어디로 가는 거니
어디로 가야 할지

종착지가 있는 그곳에
나의 종착지는 어디일지

종소리 울리고
새가 울고

어디로 가야 하니
어디로 가니

나도 데려가
가는 그 길에

종착지가 있는 그곳에
나의 종착지는 어디일지

새가 지저귀고
바다에 녹아내리고

함께 가자
말동무 되어

종착지가 어딜지 몰라도
함께 해서 즐거웠다고 말할 수만 있다면

함께 가자
같이 가자

끌림 이끌림

자석일까
얼굴만 보면 착! 하고 붙는다

자석일까
서로 밀어주고 당겨주고

자석일까
눈빛만 보면 착! 하고 붙는다

자석일까
서로 귀여워하는 미소가 올라오고

자석일까
함께한 시간보다 떨어진 시간이 길어도 인연이다

자석일까
끌어안고 끌어당겨지는 이끌림은
친구이자 자매이자 인생의 동반자다

동시대를 살아가며
반짝이는 추억을 함께 써 내려간
자매 같은 친구들은 나의 자석이다

떠나지 않을 거야

쉬운 이유로 찾아온 거라면
떠나기도 쉬우니까

무거움으로 찾아온 거라면
무거움에 떠날 생각 못 하니까

신중한 진심이 무겁게 찾아온 거라면
오래 함께 할 테니까

쉽다면 이유도 붙이지 않을 거고
왔다가 갈 잠깐에 많은 걸 두지 않으니까

묵직하고 강한 진심을 담은 표현이고
묵직한 결정이기에 오래 함께 할 테니까

시작도 결정도 신중한 무거움이라면
시작할 거면 제대로 할 마음이니까

시작도 결정도 쉬운 게 없다면
만족할만한 결과를 생각하고 시작하니까

쉽게 생각한 이유가 아니라서
너무 무거운 이유도 아니니까

함께 한 시작이라서
끝도 함께 이길 바라니까

함께라서 좋으니까
떠날 생각도 없는 건 당연하니까

먼저 떠나지 않으면
먼저 떠나지도 않을 거니까

돌탑의 증명

가는 길마다
하나하나 쌓는 돌탑

남긴 기억마다
하나하나 쌓는 돌탑

내가 가는 길 위에서
무너지지 않았다 기억해 줄 돌탑

바람에 날아가지 않고
간지러움에 넘어지지 않고

단단하며 굳건하다고
쌓이는 돌탑으로 내 길이 기억되리

걸어온 길이
나를 기억하리

모두의 꿈일지라도

숨만 쉬어도 뚝딱
걸어만 다녀도 뚝딱

자고 일어나면 뚝딱
씻고 나오면 뚝딱

밥을 먹어도 뚝딱
말을 해도 뚝딱

모두의 꿈으로
무엇을 하더라도

뚝딱뚝딱 주머니가 채워진다면
돈 많은 백수를 꿈꾸며

모두의 꿈일지라도
꿈을 꾼다는 것이 살고 있다는 뜻 아닐까

우리 세상 그리고 내 세상

버티지 마.
블루도 그린도 모두가 한세상이야.
버림받아도 돼.
블러 처리된 사람들보다 내 삶이 더 멋져.
버려진 게 아니라고 얘기해.
블랙리스트 적을 필요 없어.
버팀목이 곧 나, 살아가는 이유도 나부터 시작.
블랙, 화이트, 핑크 가득한 나만의 공간이
버틸 수 있도록 위로해 주니
블라블라 떠도는 이야기에 귀 닫은 채
버리고 다양함이 가득한 이 순간에 집중하며
블록 쌓듯이 내 삶을 쌓아간다.

하염없이 흐르다 보면

하염없이 흐르는 웃음소리 모여
일렁이는 호수를 만들고

하염없이 흐르는 말소리 모여
일렁이는 강을 만들고

하염없이 흐르는 발랄함 모여
일렁이는 빛을 만들고

하염없이 흐르는 발소리 모여
일렁이는 그림자를 만들고

하염없이 흐르는 소리가 모여
일렁이는 밤바다의 하모니를 만들어

하염없이 흐르는 시간 속에
우리를 감싸 안았다

웃음꽃 퍼즐

함께 해 온 시간이 몽글몽글
함께 해 갈 시간이 둥실둥실

조각조각 모여 맞춰진 퍼즐의 완성
재잘재잘 함께 한 말들의 깊은 마음

동시대를 살아갈 수 있다는 둥실거림
동동 떠오르는 모습에 만개하는 웃음꽃

몽글몽글 피어오를 때
둥실둥실 같이 흘러가고

조각조각 맞출 때
재잘재잘 함께 맞추는 웃음꽃

동동 띄울 때
둥실둥실 어화둥둥 완성된 우리의 퍼즐

동그란 눈으로 올려다보고
동그란 눈으로 눈 맞춤

동그란 귀여움 그대로
동글동글 쏙 들어온 맞춤 자리

함께 해온 시간 조각조각
재잘재잘 맞춰 둥실둥실

우리라서 맞춰진 퍼즐
웃음꽃 몽글몽글 피워낸다

Most reliable

누구 보다 믿을게

내가 너를 믿고
네가 나를 믿고

누구 보다 믿을래

내가 너를 믿고
네가 나를 믿고

누구보다 내가 믿어

믿는 힘이 무섭고
믿는 힘이 매섭고

너를 믿어
나를 믿어

나답게 살자

단정 짓지 마라.
장단에 휘둘리지 마라.
지혜로움 그 자체인 너를
애처롭게 느끼지 말고
단호하게 끊어내라.
장구도 북도 치기 나름이라
지켜야 할 것을 놓치고 있지는 않은지
애정 가득 채우는 너로서 살아라.

4월의 홀씨

민들레 홀씨처럼
한 올 한 올 여기저기 붙은 네 흔적
잘 몰랐는데
너도 곁에 있었더라

한 올 한 올 날아가서
여기저기 네가 피어날 거라고
잘 몰랐는데
너도 있었더라

자유로이 날아가는 그 여정에
좋았던 기억
사랑하는 이를 품은
너는 가고 있겠지

한 올 한 올 날아가는 네 여정에
여기저기 기억될 네 모습은
해맑은 미소로
영원할 거라고

자유로이 여기저기 붙은 네 흔적에
좋았던 기억이
한 올 한 올 떠오르며
영원히 함께 할 거라고

민들레꽃은 네 웃음과 닮았더라

고백이란 건데

나
어

나랑
어디든 같이 갈래?

너
어

너라면
어디든 같이 갈래.

나
어

나도 네가 좋아서 그래.
어, 너라면 좋아.

너
아

너만 귀여워해서 어쩔 줄 몰랐는데
아직도 난 네가 귀여워.

나
어쩌면
너에게
아주 깊숙하게 빠졌을지도 몰라.

First Light

향긋한 바람에 날아든 너
바람 타고 왔을까
넌 겁쟁이 같던 나를 불러줬다

안녕이라는 눈 맞춤으로
그 말을 입술에 머금은 채
겁쟁이 같은 나에게 전했다

어제 대신 전했던 말보다
네가 하는 말을 듣고 싶었다고
그렇게 겁쟁이 같은 나를 녹였다

별이 빛나는 밤하늘 아래
소중한 너와 무지개에 앉아
달콤하게 속삭인다

너와 나, 서로의 마지막 사랑이라고

그대로 사랑해도 그대

그리움에 묻고
사랑에 묻고
그대의 품에 묻고

한순간에 잊히지 않을
감정이 있다

네가 묻고
네가 있고
네 품에 있었기에

한 사람과의
한 세월이 있다

묻었고, 있었고, 품었기에
네가 있었던 한 시절을
잊지 않으려 너를 품에서 놓지 못한다

네 품에 폴짝

한 마디에
한걸음

두근거림에
두 걸음 더

새살 돋는 간지러움에
세 걸음 뛰어가고

내가 선택한 그대라서
네 번 반했다

오늘도 그대의 품에서
오랜 시간 그대의 심장 소리로
충전하고 있다

사랑하니까

다치지 마
소중한 너

아파하지 마
내 사랑 너

네가 제일 소중하고
너를 제일 많이 사랑해

나에게 소중한 너
너에게 소중한 내가 될래

간지러운 아지랑이

아뿔싸
알아차렸어야 했나

아찔하게
뿔나게 하는 건
싸우자는 건가

아차
이런 거였나

아지랑이 피어나는 간지러움에
차가웠던 마음도 녹아내린다

아하
늦어버린 건 아니겠지

아주 많이 좋아하는데
하지 말라고 하는 간지러움에도 그저 웃음만

아직도 좋아한다고
너무나 많이 좋아한다고

아무렴 어떠하냐고
반응 하나하나가 간지러운걸

일상으로 스며든 설렘

하루의 소음들도
하루를 기다리는 시간이 설레는 것처럼

네 숨소리를 기다리는 시간도
너와 함께 할 시간을 기다리는 것처럼

하루를 너와 함께 한다면
매일 매일 너와 함께 한다면

네 소리를 기다리는 시간처럼
너와 함께 하는 매 순간을 기다려

울리는 하루의 소음들이
너의 소리로 덮인다면

너와 함께 하는 모든 시간이
너와 함께 하는 모든 것들이

너와의 매 순간이라면
두근거리는 설렘이야

Propose letter

내 마음이 너를 향해 가는
과정이라면 믿을래?
치료해줄 수 있는 건 너뿐인데.
과잉진료여도 너라면 좋은데
안아줄 수 있는 넓은 내 품이
과하게 따뜻할 수 있어.
외적으로 차가워 보여도
과즙 터지듯이 너를 향해 터지는 마음이
소중하고
아주 많이 사랑하는 너에게 닿는
과정이라고 얘기하고 싶어.
정말 반할 만큼
형형색색 빛나는 너를 내 사람이라
외치고 내 품에서 볼 수 있도록
과묵한 나를 바꾼 너야.

품에 안은 채 약속해

품에 안은 채
잠들 때까지 바라본 네 모습

품에 안은 채
잠들 때까지 느낀 네 숨소리

그네 밀어주며
긴 머리 흩날릴 때 맡는 네 향기

그네 밀어주며 보이는
긴 머리 흩날리는 네가 내 이상형

품에 안긴 내 이상형
너의 모든 것까지

오래도록 네가 탄 그네 밀어주며
뒤에서 지켜주고 앞에서 안아주겠다 약속해

Never change

여운이 남는다
행복했던 순간이 가득 차서
여기저기 넘치며
행동 하나하나 통통 튀어 오른다
여러 가지가 풀어져
행복이라고 얘기할 수 있을 정도로
여운이 찌릿 짜릿하게
행운처럼 남았다
여러 가지 감정에 울어도 돼
행복일지 벅찬 감동일지 아무도 모르니까
여기까지 왔고, 여기까지 느낄 수 있으면
행할 수 있는 모든 것들을
여기저기 생각하지 않고 그냥
행복이라고 딱 말 할 수 있는 벅찬 감정이다

전율의 종소리

종소리가
이름을 부른다.
색다르게 다가오는
종소리의 울림이
이토록 아련했을까.
도란도란 울리는 소리가
화르르 심장을
지속해서 울릴 수 있도록
이 울림을 기억하고 싶다. 내가 향하는 곳
면적이 태평양이라
지칭한 곳에서 울리는 종소리를 오래 듣고 싶다.

Bloodshot mind

볼 빵빵
푹하고 누르면
바람 빠지는 귀여움에
발그레 물드는 내 얼굴

눈웃음 빵빵
찡긋거림에
퐁당퐁당 너에게 빠지고
빙그레 웃게 돼

흩날리는 네 머리카락에
저항 없이 같이 흔들리는
내 미소

네 모습 가득 담아
채워놓다 빵빵해진 내 심장이
터지진 않을까

퐁당 빠지고
폭 담아둔 채
빵빵하게 채운 심장이

너여서 움직여

Darling you

어떤 날도
어제가 될 수 있고
내일이 될 수 있고
오늘이 될 수 있다

어떤 날 속에
네가 있다면
내가 있다면
우리가 있다면

그 어떤 날을
우리가 함께 만들어간다면
너와 내가
함께라는 길을 만들 수 있다면

그 어떤 날에
우리가 만든 이야기로 채워지고

너와 내가
함께 할 이야기로 채워지길

어떤 날도
그 어떤 날에도
우리였기에
추억 상자 채워지고 있다고

어떤 날도
그 어떤 날도
오늘이라고
내일이라고

그 어떤 날
어떤 날이
우리라고
추억 상자 쌓이고 있다

Timeless Five-colored Pearls

아름다운
이 속에서 가장 빛나는
바다의 진주처럼
오늘도 찾아본다.
러그의 따뜻함에 녹아
바르르 떨던 마음마저 안아줄
오색 빛을 가진 사람이니까.
푸른 하늘을
바라보면 네 모습이
오르락내리락 떠올라.
루틴이 생긴 걸까?
이토록 소중한 너를 기억하는 모습이
바보 같아 보여도
오직 너뿐이니까.

바라볼 수 있음에 만족해야 하는데
오늘뿐이면 어떻게 하지 하는 두려움이 움푹
패였어.
밀리고 치이다 네 눈에 안 보일까 봐 나만 아는
리본으로 내 거라고 곁에 두고 싶어.
후루룩 넘길 인연이 아니니까
이렇게나 사랑스러운 너를
바라만 보고 있어도 날마다
오늘처럼 함께하고 싶은 건 어쩔 수 없나 봐.

목소리로 그린

어제 네 목소리가 듣고 싶었는데
마침 바람에 날려오더라

소중한 사람 품에서 사르르 녹는 기분을
이제 내가 너에게 주고 싶은데

그리움을 묻힌 색연필로 그린 그림은
가을밤의 그리움일까 겨울밤의 그리움일까

썼다 지웠다 반복한 너의 날들에 나도 있을까
바람 타고 창문에서 인사할 네 목소리가 들려

소중한 사람 품에서 사르르 녹고 있을
사랑해 줄 내 품에서 사르르 녹고 있을

사랑을 묻힌 색연필로 그린 그림은
한 여름밤의 고백처럼 시원해졌어

썼다 지웠다 반복한 너와의 날들에 한 마디
사랑아 안녕

이제 네 목소리 듣고 싶으면
언제든지 들을 수 있으니

사르르 온 사랑아 안녕
소중한 하루들을 만들어줘서 고마워

One's heart

그대가 흔들고 있는 꽃이 나라면
아껴주면 좋을 텐데
바라만 봐주면 좋을 텐데

그대가 흔들고 있는 나무가 나라면
시간 가는 줄 모르고 쉬어가면 좋을 텐데
기대어 웃으면 좋을 텐데

불려오는 이름의 씨앗이 나라면
나는 미소를 틔우고
예쁜 얼굴로 반기고

불려오는 이름의 꽃이 나라면
나는 예쁜 얼굴을 보여주고
건강한 모습으로 반기고

꽃으로 베인 마음
나무로 베인 마음
베이고 베지 말고

향기를 심어주고
향기를 맡고
향기를 담고

사랑을 심어주고
사랑을 맡고
사랑을 담고

향기로 담은 마음
사랑으로 담은 마음
네 마음에 내가 담기고
내 마음에 네가 틔웠다

I know true love

키울 수 있을까
다 자란 것이 어떤 것일지 모르지만
키울 수 있을까

사랑은 당연하게 커지는 것일까
사랑도 굴리다 보면 커질까
사랑은 눈과 같은 것일까
사랑도 빛과 같은 것일까

키울 수 있을까
미움은 알아서 자라던데
사랑은 왜 키워야 할까

눈덩이 커지듯 굴리면 커질까
묻은 나뭇가지가 아프게 할까
묻은 나뭇가지가 돋보이게 해줄까
눈싸움할까 눈사람으로 만들까

사실 마음도 너

랑 나랑 하나로 커지는 거니까

사르르 녹여진 감정이 합쳐져

랑데부라고

열심히 자란 사랑이

열심히 키운 사랑이

너였기에 가능했다고

사랑한다고 얘기해

깊은 사랑이라서

수천 번 봤다
삼킬 듯이 휘어잡는 순간들을.
인사 한 번에 설렘
삼매경.
산새들이 지저귀는 소리조차 들리지 않고
삼키는 설렘
홍당무 된 떨림은
삼사일을 아무것도 못 하게 만들었다.

차곡차곡 아낌없이

한 장 한 장 넘기는 재미
하루하루 채웠다는 기쁨
낱장이 한 권으로 그렇게 1년

하루하루 채우는 재미
한 장 한 장 넘겼다는 기쁨
하루로 시작해 그렇게 30일 31일

기쁨과 재미만 담긴 30일 31일일까
수천 번 다양한 감정을 내던진 하루들
한 권씩 쌓여 내 나이만큼 쌓인 이야기

한 장에 하루에
담길 수 있는 무궁무진한 세월
너랑 쌓은 이야기도 몇 권으로 남을지

너와의 한 장 한 장까지 차곡차곡

안녕, 또 피운 꽃잎

안녕, 노란 꽃잎
마지막 사랑을 담은
우리의 시간

삶의 자리에
가시가 피어오르고
텅 빈 잔에 눈물을 거둔다

주파수에서 드러난 마음은
꽃잎을 물들이고
사랑은 그네를 탄다

삶의 자리에 자리 잡은
사랑은 양분이 되어
피어오른다

안녕, 나의 꽃잎
가시가 줄기가 되어
향기를 담은 우리의 시간

텅 빈 잔에 채워지는 꽃잎
그네를 탄 꽃은
네 옆에서 다시 피어오른다

밤하늘에 뜬 고백

해가 뜨는 밤
1년 365일
떠오르는 이야기가 날고
떠오르는 감정이 날고 있다

해가 뜨는 밤
떠오른 12시
1년 365일
아련하게 눈부신 밤이다

1년 365일
떠오른 12시
해가 뜨는 밤에 나누는 인사도
익숙한 설렘이 되었다

해가 떠오른 이 밤
익숙한 설렘에
익숙하지 않은 소용돌이가
오늘은 다르게 인사한다

해가 떠오른 이 밤
후끈후끈 쓰여질 감정이 날아오르며
눈부신 오늘 밤이
낯선 설렘을 끌고 온다

Something

가질 수 없을 때
시리고

감출 수 없을 때
터진다

가만히 봐도 좋은 떨림은
가지런히 만개할 예쁨과도 같고

감히 좋다고 말하지 않아도
가장 먼저 알 수 있다

가까이 또 가까이
가장 가까이

감추지 않아도 될 시선의 끝이 맞닿으면
동시에 아주 많이 좋아한다고 전한다

버튼 눌린 심장

소중하고 행복하길
원했다.
소리 없이 쌓인
설렘으로
소원을 이뤘다고
심장이 얘기한다.
소복소복 쌓인 얘기들이
망망대해에 사라지지 않을 만큼
소소하지 않기에
중요했고 뜨거웠으니 이뤘다고 얘기한다.

응원해

막
걸었어. 거
리의 불빛들이
동서남북 비추기 시작했어.
동떨어진 기분으로
주눅 들던 내 모습도 보이기 시작하며
탁! 하고 다시금 일어서야 한다는 걸 알아차렸어.
주인공으로서 내가 열심히 살아가야 하는걸,
소중한 나부터
주체적으로 살아야 삶의
맥이 흘러가고 당찰 수 있다는 걸
주입이 아닌 깨달음으로 알았어.

사계절 피는 꽃

백 번 더 불러보면
만날 수 있을까.
송골송골 맺힌 bounce가
이 공간에 같이 있는 너에게 들릴까 봐
장난스럽게 옆에 붙어있는 이유는
미치도록 사랑하는 네가
꽃보다 예쁘니까.
백 번 더 보아도
만개하는 미소에 녹으니까.
송골송골 맺힌 bounce가
이대로 너에게 들릴까 봐
장난으로 무마해보지만
미세하게 떨리는 손끝으로
꽃보다 예쁜 너를 안고 있어.

가슴에 가꾼 꽃밭

가슴에 피는 꽃을 꺾어도 될까
가슴에 피는 꽃을 피워도 될까

꺾어도 피워도 내 선택
자르고 밟아도 내 선택

피지 못하는 꽃이 아파서
피워야 할 꽃마저 피지 못할까

피고 지는 꽃망울마저 눈치
피고 지는 꽃잎마저 아픔

가슴에 필 꽃이 꽃밭을 이루리
가슴에 피는 꽃이 쑥대밭을 이루리

가슴에 불 지핀 채 꺼지지 않고
가슴에 불씨 당기고 어디 갔나

피워야 하고 지켜야 하는 그것
지피고 피우리라 믿는 그것

데운 가슴에 피어오르는 꽃망울이
뜨거울까 아름다울까

아름다움에 뜨거워지는 꽃밭
잔잔하게 달궈지는 가슴

아름다운 꽃밭에
뜨거운 가슴을 내던진다

그대 품 안의 꽃

꽃잎이 되어 날아갈까
꽃망울이 되어 피울까

아름다움에 속아
향기로움에 속아
피우지 못한 채
그대 품 안에

꽃을 피울까
꽃으로 날아갈까

피어날 꽃을 기다리며
만개할 날만 손꼽아 기다리며
단단해질 꽃송이가 되어
그대 품 안에

꽃이 되어
꽃의 향기가 되어

꽃 피운 채
멀리 날아
그대 품 안의 향기로
오래도록 남을래요

피어난 무지개

메마른 가뭄 같은 땅을
촉촉이 적셔줄 단비

어두운 빗줄기에
피어난 영롱한 무지개

단비인가
영롱함인가

촉촉이 젖어 드는 빗줄기에
피어난 무지개

젖어 들까 피어날 영롱함이
젖어 들어 피어난 무지개가

향수 같은 촉촉함으로
향기로움에 젖어

오늘의 무지개가
피어오른다

End up with smile

인생은 직진
인생은 쳇바퀴처럼 돌고 돌다

둥글게 사는 삶은
직진하지만 결국 돌고 돌아 다시

돌아도 웃고 울고
후진해도 웃고 울고

어떻게 가도 직진이지만
돌고 돌아 다시 원점

하염없이 가고 있어도
웃을 수만 있다면 됐다

되돌아갈 유턴 없이
직진 후진만 있어도

웃었으면 됐다
웃었으니

예고 없는 흐름

예쁨도 미움도 한 끗 차이
잊음도 기억도 한 끗 차이

잊을 수도 있고
기억할 수도 있고

예뻐할 수도 있고
미워할 수도 있고

한 끗 차이에서 요동치는
물결처럼

미워해야만 했고
예뻐해야만 했다

잊어야만 했고
기억해야만 했다

잊을 수 있다면 미워해야 했고
기억해야 한다면 더 예뻐해야 했다

한순간에 바뀌는 물결처럼
그렇게 해야만 했다

나도 예쁜 사람

조급하게 달린 이유가
부족한 나를 감추기 위해서

부리나케 달리기만 한 이유가
부족한 나를 감추기 위해서

조급했던 마음을 가진 채
부리나케 달린 이유였다

오직 나를 감추기 위해서
숨기는 것이 맞는 것이라 해서

당당히 나서는 것도 떨림을 감추기 위함이었고
떨림을 들키지 않기 위해 부리나케 달렸다

많은 걸 감추기 위함이 아닌
오직 나를 감추기 위해

작아져야만 한다고
작아져야 살 수 있을 거라 생각했다

나를 감추기 위해 조급하게 달린 시간 앞에
멈추는 법도 부족하지 않다는 걸 알았다

나도 예쁜 사람이니까
감추기 위해 달리지 않아도 된다고

그렇게 그렇듯이

든든함을 모르고 살았다
가까움을 모르고 살았다
사랑이 무엇인지도 모르고 살았다

모르고 살았던 시간이 다행이다 느낄 정도로
알게 해주는 든든한 존재가 곁에 있다

함께라는 걸 모르고 살았다
혼자만 모르고 살았다
따스함보다 차가움을 달고 살았다

모르고 살았던 시간을 알려줘서
고맙다고 말할 수 있음이 부끄럽지 않다

채워주고 채워주며 나만 봐주는 사람
미안하고 미안해하며 아껴주는 사람
몰랐던 것이 부끄러움이 아닌
이제라도 알게 되어 든든하다 얘기해주는 사람

부끄러울 일이 아니라 의심 없이 받아주는 마음이
소중하고 고맙다고 말해주는 사람이 있어서
채워지고 담아지고 있다

내 자리 내 역량

알알이 차오르고
과즙을 머금은 채

과즙을 가두기 위해
달달한 껍질이 감싼다

차오르지 않은 포도알
먹어야 할까

차오를까 알알이
차오를까 내 자리

하나하나 사라지는 내 자리
하나하나 채워지는 포도알

내가 있어야 그 자리 완성인데
내가 있어야 가득 채워진 알인데

내가 아니어도 채워질 과즙이지만
나도 함께 채워질 가득함이라면

달달한 과즙이 팡 하고 터질
알맹이들을 채우고 채운다

충분히 빛날 수 있다

더 빠를 수 있을까
주말처럼

더 느릴 수 있을까
평일처럼

더 빠르면 좋을 텐데
평일처럼

더 느리면 좋을 텐데
주말처럼

평범함이 익숙해져서
일부러 반짝이려고 한다
주춤거리는 시간일지라도
말보다 행동으로 빛날 수 있다면

주저했던 시간을
말이 달리는 속도처럼 빠르게 후회하며
평소보다
일찌감치 빛나고 있음을 마주하고 있다

빠르고 느리고
평범하게 빛나는 것도
마주하며 어떤 모습도 익숙하게
스며들고 있다

같이 또 혼자 달리기

달리기만 하다가 걸어도 된다고 들었을 때
마음 한구석 걱정이 되지만
더 효율적일 때가 있다는 걸 깨달았다
참 행복하다

한 번에 다 하지 않아도 뭐라 할 사람 없다고
들었을 때 마음 한구석이 불안하지만
때론 하던 대로 하지 않는다고 문제가 생기지
않으니 한 번쯤은 느려도 괜찮다는 그 말이
참 행복하다

걷는다고 뭐라 하지 않고
달린다고 뭐라 하지 않는다
참 행복하다
걸어도 결승선에 닿으면 완주 한 것이고
달려서 일찍 결승선에 닿아도 완주 한 것이다

너무 달리기만 하면 보는 사람도 숨이 차고
나도 꾸준히 달리기 힘들어진다
참 행복하다
항상 달리는 것을 알기에 걷는다고 뭐라 할 사람 없으니 완주하는 것에 목표를 두자

모든 순간 주인공

어질러진 이 순간을 보며
어지럽혀진 이 순간을 보며

이 또한 작품이고
이 또한 표현이라고

윤슬에 사르르 흐르고
모닥불처럼 홀리는 분위기에

순간순간이 보여준 세상이
작품 속에 있는 주인공이라고

어질어질한 순간도
어질러진 순간도

순간순간의 작품이자
그 속의 주인공이다

메마름에 물줄기

생생하게 떠오른다.

존재해야 하는 이유가 생겼을 때

신기할 정도로

고생했던 시간을 잊었다.

생기가 불어오고

존재할 수 있다는 즐거움이 생겼다.

신나서 처음으로 콧바람을 흥얼거렸다.

고장 날 정도로 즐거우면 된 거라

생각하며

존재하는 내가 다시 태어났다.

신바람 난 내 모습을 보며

고통스러웠던 시간을 지울 수 있게 되었다.

이마저도 이슈

말을 이끌려고
웃는 마음을
말이 없어도 웃으면
넘어가니까

웃음이 많다고
웃기만 한다고
웃지 않을 때가
많을 거란 생각은 왜 없을까

우울하게 있으면
싫다 할 텐데
말보다 웃기만 해도
다행일 텐데

정말로 웃겨서 웃을지
웃기만 하는 게 나아서 웃을지
많은 말보다 웃음이 짧으니까
그게 다행일 텐데

다 끝난 줄 알았던
행복
다시 시작된
행복

울어도 있슈
웃어도 있슈
그대로 보고 있슈
마주해도 좋은 그대로 있슈

情의 편안함

고소한 맛에 끌리고
쌉싸름한 맛에 취하고
달달한 맛에 감기고

폭신하고 달달한 情 한 입
고소하고 쌉싸름한 情 한 입
마음으로 먹는 情의 맛

고소함에 취하고
쌉싸름함에 감기고
편안함에 기대고

눈웃음에 情 한 입
다정함에 情 한 입
감사함에 情의 발걸음

고소한 맛에 감기고
쌉싸름함에 기대고
달달한 향에 끌리고

情感이 되는 이유는
한결같은 따스함이자
녹아드는 편안함이다

그 시절 소꿉친구들아

꿈이었을까
함께 놀던 그 놀이터에서

맞네! 맞네 하며
떼굴떼굴 구르며 웃던 그 놀이터에서

결국 아무것도 할 수 없는 붙잡음이지만
꿈에서라도 혹시나 하는 마음이었다

어느 계절에 뛰어놀았던 땀방울인지
우린 다 알고 있지만

해맑게 웃으며 떼굴떼굴 구르고
놀이터에서 만개했던 마음을 기억하며

꿈이었을지라도
조건 없이 반겨주는 존재였으니

봄인지 여름인지 가을인지 겨울인지
계절이 중요할까

만개한 웃음을 간직한 채
함께 뛰어놀며 흘린 땀방울이 좋을 뿐

아직도 웃음소리가 피어나고 있을까
우리 떠난 그 놀이터

꿈이 아닌 추억의 놀이터
추억의 그 시절 소꿉친구들아

살고 있다 얘기하는구나

울지 말아라
축 처진 눈꼬리 따라 흐르는 눈물이
많이 아팠다 얘기하는구나

울지 말아라
축 처진 입꼬리 따라 흐르는 눈물이
많이 괴로웠다 얘기하는구나

웃어야만 하는 건 아니다
끌어올려야 하는 입꼬리 따라 떨리는 미소가
많이 애쓴다 얘기하는구나

웃어야만 하는 건 아니다
끌어올려야 하는 눈꼬리 따라 떨리는 미소가
많이 나은 사람이 된다 얘기하는구나

눈물이 흘러도 된다
눈물 닦아줄 사람 곁에 있으니
혼자는 아니다 얘기하는구나

웃음이 흘러도 된다
웃음 받아줄 사람 곁에 있으니
행복하다 얘기하는구나

등대

아이 예뻐라
기억 안 날 순간이겠지만
자꾸 예쁘다 예쁘다 해주면
기억 저편에서 떠오를 거야
아파도 일어날 수 있고
기차 놀이하듯 흐르는 시간도 있고
자꾸 작아질 수도 있어
기억 저편 네가 태어났을 때
아주 큰 기쁨이자 행복이었으니
기대에 못 미치는 결과가 나타나도
자연스럽게 다시 일어설 수 있는 행복으로
기댈 곳을 찾아오면 돼
아이 예뻐라
기댈 곳은 여기니까
자학도 자만도 아닌 자연스러움으로
기나긴 삶을 살아가면 돼

2장

이정표 없는 갈림길에서

우울의 나

화려한 모습 속
초라한 내면

초라한 모습 속
화려한 내면

화려한 불빛과 하하 호호 소리에
나 홀로 동떨어진 느낌

화려한 조명과 바삐 흘러가는 소리에
나 홀로 즐기지 못하는 느낌

웃음 가득한 모습 속
초라한 내 모습

우울 가득한 모습 속
웃으려는 내 모습

우울함이란 조명이 비치고
쓸쓸함이란 웃음만 남은 헛헛함

긍정적 표현보다
부정적 표현이 더 많을 때

덩그러니 바람 빠진 풍선처럼 남아
아무것도 아닌 내가 된 거 같다

빈집의 온기와 냉기

공허함이
회오리치며
전해진다.
공실이던 공간에
회전하며
전전긍긍.
공허함의
회전율이 자주 찾아든다.
전기에 감전된 기분처럼 크지도 않은
공간에서
회복과 충격이
전부 채워지며 다른 생각을 할 수 없게 만든다.

반보다 못한 반

짓는 눈물에 모른 척할 거면
짓는 웃음에도 모른 척하지

짓는 웃음에 아는 척하고
짓는 눈물에 모른 척하니

짓는 웃음 뒤에 숨은 뜻을 알고
아는 척일까

짓는 눈물 뒤에 정리해서 시원하단
뜻인 건 모르지

웃는다고 아는 척
운다고 모른 척

정 주려면 다 주고
그런 식으로 나눌 거면 필요 없어

긴 다리의 끊김

두근거림이 멈췄다
세 발자국만 더 가면 되는데
툭 끊겼다

설렘의 시작은
두근거림이 닿았을 때
투박해도 부드러웠기에

두루뭉술함도 가볍게 느껴질 때
세월에 나를 싣고 너를 싣고
퉁퉁 날아갔었다

두루뭉술함도 무겁게 느껴질 때
세상 어딘가에 멈춘 채
툴툴 버렸다

두근거림을 잊었다
세 발자국을 더 가야 하는 것조차
툭 잊었다

설렘의 끝은
끊긴 다리를 내려다볼 때
이어 붙이는 시간이 오래 걸리기에

딱 끊긴 웃음이 가볍게 느껴질 때
세월을 새롭게 싣고 갈 수 있다는
깃털처럼 날아갔었다

뭉툭하게 끊어진 날카로움일 때
세상 어딘가에 멈춘 채
툭 끊어졌다

인연의 소용돌이

대책 없는
행동에
사람을 잃고
대화마저 뚝 끊기게 만드는
행실의
사실관계에는 관심 없다.
대단한 사람 몇이나 될까?
행복한 사람 몇이나 될까?
사탕발림에 혹한 사람이 더 많지 않을까.
대쪽 같아도 흔들리겠지.
행복을 어디에 맞추냐에 따라
사람이 남을지, 사물이 남을지 보이니까.
대략적인 관계가 될지
행복도 위기도 같이 겪을 관계가 될지
사람 마음으로 휘젓지는 말자.

정처 없이

걷어버렸다
암막 커튼을

가려진 빛을
빛이라고 우기지 말고

걸어버렸다
앞을 향해서

내리쬐는 빛을 막아두고
맑다고 우기지 말고

가린 눈을 걷은 채
맑은 빛이 내리쬐는 곳을 향해

걷고 또 걸어가고 있다

단단한 연결고리라면

단, 한 번
다채로움에 잡힌다면

단, 한 번
단조로움에 잡힌다면

그 한 번
오답일까 정답일까

한 번의 답으로 모든 것이 결정되어
한 번의 답으로 모든 것이 움직이고

한 번에 결정일지
한 번의 장난일지

한 번이 핫해도
핫한 한 번이 기억되고

다양한 한 번이
숨 막히게 핫 할지라도

한 번 속에서 이어진 관계라면
핫했던 한 번이 이어지겠지

맞을 이유 없다

단면적인 것만 보고
던지는 돌은
솜처럼 가벼울까
바위처럼 무거울까

내면까지 보고
던지는 돌은
솜처럼 가벼울까
바위처럼 무거울까

단면적인 것만 보고
맞아야 하는 돌은
솜일까
바위일까

내면까지 보이고
맞아야 하는 돌은
솜일까
바위일까

하얀 보자기에 감춘
암흑의 돌은
누굴 위해 무얼 위해
뭘 하려는 걸까

맛없는 눌은밥

지글지글 익혀지는 걸까
지글지글 누워있는 걸까

지긋지긋한 소리에
익혀지고
지긋지긋한 소리에
누울 수밖에 없고

뚝 소리에
배는 아프고
기승전결 고통이 찾아오고
소란스러운 식은땀에
파란 불만 번쩍번쩍

지글지글 익혀지면서
지글지글 누운 그 속은 눌어붙는다

지극정성도 부족할 때
지긋지긋한 소리만 잔뜩 울리고
뚝뚝 끊기는 진동에
소통은 그 어디에도 없다

지글지글 익혀지는 것도
맛이 좋아야 듣기 좋은 소리인 것을

맛없이 지글지글은
징글징글 청소만 남으니

맛과 함께 사라진 진동은
다시는 울리지 않으며
눌어붙은 속만 떼어내기 바쁘다

겉도는

지지고 볶으면 무엇하리
맛이라도 좋으련만

지지고 볶으면 무엇하리
타들어 가는 냄새가 배어

지지고 볶으면 뭐 하리
어우러진 맛이 나면 좋으련만

지지고 볶으면 뭐 하리
난타당한 재료들이 나뒹굴기만

지지고 볶으면 재만 남으리
지지고 볶으면 향이 가득하리

부지런한 기복

철썩철썩
부들부들
지글지글
철렁거리는 마음에
부지런히 움직이는 파동은
지킬 수 있을까
철컹철컹
부릉부릉
지속해서 찾아오는 파동에 벗어나려 도망간다

괜한 기름

네한테
일어난 일
아니라고
트집 잡으며 더 아프게 하지 마.
네 손 마주 잡으며 웃었던
일마저 헛된 꿈으로 만들며
아픔을
트위스트 스크류바 마냥 비틀지 마.
네가 스쳐 지나가는 인연이라도
일일이 아파할 이유도 없으니
아쉬움조차 남기지 않으려는 거라면
트인 이 길로 그냥 가.

혼자 아니니까

시기 질투로 자신을 아프게 밀어두는 일은
절대 하지 말자
인생 별거 있을까
연연해한다고 이루어질 관계라면
시기 질투를 하지 않아도 저
절로 함께하게 되어있다
인간관계에 얽매이지 말자
연속된 만남 속에서 함께 걸어갈 인연은 있다
시기적으로 만나고 헤어지는 사람이 있다
절절했던 시간을 버리고 채울 사람도 있다
인생은 구르기도 하고 흐르기도 하고
연줄처럼 엮인 채 살아가는 물줄기와 같다
시작한 인연이라면
절절하게 만나보기도 하고
인사를 끝으로 끝내도 된다
연결고리의 시작과 끝은 다 흐른다

내가 나에게

이곳 여기에 태어난 것을 다행이라 여기면서도
한편으로 힘들어지는 세상이 야속해서 나약해진다

다른 이와 비교하는 지친 일상에
나약해진 마음이 다른 곳과
스스로 비교하고 있다

어딘가 있는 기댈 기둥조차도
누군가에게 뽑힌 느낌에
나 홀로 덩그러니 남아있는 거 같다

이곳 아닌 지금 지친 현실에
아픈 사람은 다른 이가 아닌
나임을 잊지 말아야겠다

나부터 다스리고, 어루만지고
나부터 일어선 후, 주변을 둘러보아도 늦지 않다

띄웠으니

달렸던 시간이
고생이었다고
나뒹굴어도 내 시간이었고
달렸던 시간이
구름 위에서 내려다보일 정도로
지금은 행복한 시간이라고
달렸던 시간이
고생이었어도
나를 위한 시간이었다면
달콤하게 돌아올 시간으로
구슬프게 울었다고
지금에서야 달렸던 시간을 얘기한다

마르지 않는 솜

겉만 번지르르하면 뭐 하나.

바로 뒤돌면 그

속은 뭉그러지고 있는 것을.

촉촉해 보이려고

겉을

바꾸려 애쓰면 뭐 하나.

속은 제자리 그대로

촉촉하게 젖고 있는 것을.

겉만 보고 다가왔나.

바뀔 가능성도 있는데

속에서 어떻게 만들고 있을지

촉은 오지 않았나 보다.

조각구름

지금 잠시의 최선이라면
후회를 남기는 것보다
후회로 남으면 마음의 짐이 되니

잠시의 칭얼거림이
최선으로 남기는 그리움으로
최선이 되면 아련한 기억이 되니

후(後)는 없다
회상하더라도
최고였던 시간만
선상에 떠오르면 좋으니

그리움으로 띄워질 거라면
최선도 그리움이 되지만
후회는 그리움과 마음의 무게를 늘린다

시간에 변화된

어렵다
처음은. 나아갈
구멍을 찾아보아도
니 코가 석 자니, 내 코가 석 자니
어이쿠야.
처절했던 시절을 지나
구부정한 어깨와 허리를 펴고
니나노 내 길을 걸어간다.
어리숙함에 축
처지지 말고 나를 위한
구름 타고 나아간다 생각하며
니글니글 능글능글 넘어간다.

내 것이 아닐까 봐

저기 오는
승승장구할 기운이
사라질 꿈일 것만 같아
자꾸 불안하기만 하다.
저 기운이 맞을까?
승천해도 되는 마음일까?
사사로움에 휩싸인 것이 아닐까?
자신감이 있는데 왜 불안할까?
저리 쿵 이리 쿵 하다 순식간에
승화된 기운이 되어 찾아오면
사고가 멈춰진 기분이라서
자꾸 보게 된다.

숲의 사계절

까불까불
치사하지 않으면
까이지 않을 일들이다
마구
귀찮게 하지 않으면
코에 걸면 코걸이, 귀에 걸면 귀걸이라고 넘긴다
끼룩끼룩 소리마저
리듬 타며 즐길 때 있으니까
씨앗을 뿌리고 잘 키우면 어느새
몽우리가 터져 예쁜 꽃으로 반길 테니
키 큰 무성한 나무 아래 하염없이 머물고 싶다

빛 좋은 얼룩

여러 해가 지나간다
자꾸 지나간다
친했다고 생각했던 시간조차
구질구질했던 시간으로
남남이었던 그때로
자잘한 부스러기 되어 지나간다
친근함이 뭔지 알기도 전에
구멍만 뻥뻥 뚫려버렸다
여기저기 뻥뻥
사고 같은 얼룩으로
친구라고 얘기하며
남의 등에 칼을 꽂고
사라지는
친근함의 사고는 얼룩으로 남았다

구슬프게 뚫린 추억

축축하게 뚫린
구멍만 남았다.
야속해도
구질구질해지고 싶지 않았다.
농담이라 믿고 싶었지만
구멍 난 마음이 사실이라며 말해주고 있다.
배신감에 차가워진 가슴은
구슬프게 울고 있다.

마음의 집 태우기

이 속에서
불이 났다.
이 순간이
불쏘시개로 사용되었다.
수년간 아꼈던 것들이
건질 수 없도록 태워졌다.
수 없이 했던 고민과 그 결정이
건너지 말아야 할 길을 떠났다.
베이고 베여
개선할 의지마저 사라진
베인 마음을 돌리지 않겠다며 쉽게 드나들던
개구멍까지 막으며 태웠다.

이별의 칼날

느낄까
달라진 네 모습을

알까
달라진 너를

한 걸음 앞에서 느껴지는
두 걸음 뒤의 네 모습

같았던 속도는 달라지고
맞춰 걸었던 걸음걸이는 흩어진 채

느껴지는 네 마음을 애써 모른 체
앞서거니 뒤서거니 맞추려 했는데

떠나가네
흐려지는 네 모습

세 걸음 앞에서 보이는
네 걸음 뒤의 네 모습

같았던 마음은 달라지고
맞춰졌던 시간은 고장 난 채

돌아가는 네 모습을 마주한 채
어르고 달래보았지만

떠나가네
네 발걸음이

멀어져 가네
여기가 끝인 우리

끝이라는 할큄

다 담지 못하는 말들 속에
흔들려

다 뱉지 못하는 말들 속에
흔들려

반쪽짜리 말은
흔들림을 막지 못해

반쪽짜리 떨림은
흔들림을 막지 못해

흐려지는 말들 속에서
흐려지는 향기까지

단단해짐도 흔들림을 막지 못해
뚝 부러진다

뱉지도 담지도 못한 말로
흔들리다 부러졌다

마주친 호랑이 장가가는 날

파란 하늘이 날
울린다
파고드는 고통에
울고만 있다
안개 가득한 길 위에서
타버린 나를 마주했다가
파란 하늘이 떠오르고
울음이 터졌다
안개가 걷힌 반가움일까
타버린 마음을 들킨 부끄러움일까
파란 하늘이
울렸다

완벽이란 암막 커튼

하루라도 안 하면 큰일 날 거 같던 강박
강해야 한다던 이야기들 때문이었을까

선택지의 답을 내리고
답안지 확인이 무사히 지날 때까지
내려둘 수 없는 소용돌이

소극적인 태도라고
용기가 없는 건 아니다
돌아가는 것보다 나아가는 것이
이롭다는 걸 느끼고 싶어서 이리 쿵 저리 쿵

상처만 봐도
성질이 나니까 덮기 위해 가리는 것이다

사랑 매듭

이별 그 끝이라고

빛나던 빛이 흙빛으로 바뀌고
맑던 웃음이 사늘하게 식어가고

이별 그 끝에서

웃지 못할 이야기만 남긴 채
지우지 못할 흔적만 남긴 채

이별 그 끝은

이제라도 끝내서 다행이라고
처음부터 시작하지 말았어야 했다고

그 끝의 이별은

사랑의 연장이 아닌
이별의 시작이었다

아름다운 이별을 꿈꿨나

뜨거움이 차갑게 식은 상태에서
이별이 뜨거운 사랑보다 아름다울 수 있을까

이별의 끝은 매듭을 묶기도 풀어놓기도
애매한 끝도 아닌 시작도 아닌 멈춤이다

사람도 사랑도

사람도 사랑도
없으면 아프고
있으면 행복하고

사람도 사랑도
없으면 헛헛하고
있으면 좋고

사람도 사랑도
있으면 아프고
없으면 헛헛하고

사람도 사랑도
아파야 존재하고
행복해야 존재한다

타버릴 그리움이라서

그리움이라 얘기할 수 있는 사랑
사랑을 그리워하는 건 사람이 짙어서

그리움이라 얘기하는 포장
최소한의 예의를 차리기 위한 것

그리움이라 그 속에 깊숙이 들어갔다가
리셋 되어야 하는 시작 앞에서
움켜쥔 채 놓지 못하는 것

그리움이라 얘기할 수 있는 사랑
그리움조차 사랑이 되어 박힌 가시

그리움이라 얘기하는 포장
그리움조차 언젠가 사라질 겉돌기

슬라임일까 반죽일까

소스라친다
너의 말에
넘어간다
너의 말에

놀래서 바스러진다
너의 말에
충격에 주저앉는다
너의 말에

요동치는 너의 말과
요동치는 심장
너의 말에 작동 버튼은
내 심장인가 보다

충격에 주저앉은 채
눌린 심장은
다시 뛸 수 있고
지혈이 될까

놀라고 넘어지고 주저앉고 가루가 되어
다시 뭉쳐지기를 반복하며
넘어가고 눌러앉고 뭉쳐지고 밟히고
작은 심장이 강해진다

질문 속 질문

잊을 수 있을까 질문에
사랑하긴 했을까

잊을 수 있을까 질문에
버릴 수 있을까

사랑했을까 질문에
사랑 다운 사랑을 느꼈을까

사랑했을까 질문에
진짜 사랑이었다고 답할 수 있을까

인연도 절연도
시작이 있었기에 유지도 끝도 있고

유지와 끝 그 사이에서
채워짐과 비워짐의 다름이다

불같은 짝사랑

이만큼
차가워도 되나
전류가 찌릿찌릿할 정도로 뜨겁다가
지맘대로 식어버렸단다
이 순간이 오지 않길 바랐지
차에서 혼자 울지 않기를
전속력으로 달려와서는 뜨거워지다가
지맘대로 식어버렸단다
이대로 식어버린
차디찬 공간까지
전할 수 없으니
지키지 못한 눈물만 흘려보낸다

도돌이표 시련

상상이나 했을까
처량해질 나를

상상이나 했을까
처참해질 나를

상상이 아닌 현실의 나를 마주했을 때
처치도 내가 해야 하는 순간

상도 벌도 아닌 무엇일까
처음도 아닌데 아픈 가슴만 부여잡아본다

엇갈림이라고

미워하면 좋을까?
역으로 돌아오는 게
국룰인데
미끄러지듯이 자연스레 모른 척하면 안 될까?
역으로 미워하는 마음도 있을 텐데
국물 짜듯이 미워하는 마음을 짜내면 편할까?
역으로 가면 설레던 기차가 있듯이
지금 미워해도 인연이라면
사라지기는커녕 다시 만난다.
지나치자. 미워하지 말고.

흔적도 쉽다면

뜯어지고 뜯기는 테이프처럼
돌돌 말리는 테이프처럼
너에게 붙었다 떼었다

뜯어지고 뜯기는 테이프처럼
돌돌 말리는 테이프처럼
나에게 붙었다 떼었다

흔적 없이 붙었다 사라지는
귀신도 아니지만
가라앉은 딱쟁이보며 기억하지 않아도 되니

있었다가 없었던 기억조차
없었는데 있었던 기억조차
테이프처럼 쉽게 붙였다 떼면 좋을 텐데

딱하고 알아차리지 못하는

지키지도 못할 약속이

딱풀처럼 붙었다가

지겨운 기억으로 남아버렸으니

쉬운 감정이었으면 좋았을 뻔했네

급류를 마주한 갈대

잔잔함에 발을
디딜 때
밀리지 않으려면
다리에 힘을 주고 빠르게 걸어야 한다

잘하려고 애쓰다 틀어졌을 때
다 무너지는 느낌을 받고
질퍽거림에 무거워진
다리가 한없이 버거워진다

밀리지 않으려 애썼지만
나의 노력과 다른 결과에
주저앉아 터덜터덜
나와의 싸움을 시작한다

잔잔함에 파동이 일어나고
질퍽거림에 늘어나는 반동을 당겨야 하고
새로운 물이 들어올 수 있도록
나와의 싸움에서 이겨야 한다

어떻게든 살아야 하니까

젓가락도 다르다

같은 일을 겪더라도
같은 일을 하더라도
각자가 받아들이는 건 다르다

같은 상황에서 느끼는 감정과
같은 상황에서 받아들이는
주변의 모든 게 다르다

누군가에게는 아무것도 아닌 당연한 것이
누군가에게는 큰 행복으로 느껴지고
누군가에게는 아무것도 아닌 당연한 것이
누군가에게는 큰 고통으로 느껴진다

같은 것이라도 다른 반응일 수 있는 것이
비난의 대상은 아니라고
다름의 차이라고

같은 상황에서 느끼는 감정과
같은 상황에서 받아들이는
주변의 모든 게 다르다

당연하게 이룬 대가라고
당연하게 온 아픔이라고
당연한 건 없다고 얘기하면서
이럴 때는 당연하다고 한다

같을 수 없다
생김새 취향 발걸음 숨소리
다르듯이 법을 어긴 것도 아닌
감정을 비난의 잣대로 쓰지 말자

다른 끝의 기준

끝난 게 아닌데
끝을 바라보고 있는 것이 욕심인가

끝날 것을 알면서
유지하려고 애쓰는 것이 욕심인가

욕하는 바쁨보다
심심한 하루가 나을지도

끝을 알고
끝에 서 있는 마음은 오죽할까

유지보다
끝을 얘기하는 시선은 오죽할까

무엇을 해도 욕심이라 하면 한 번쯤은
심보가 고약해도 되지 않을까

끝까지 가려고
유지하는 마음도

유지하려고
끝까지 가는 마음도

욕보이는 행동도 아니고
심각함도 아닌 자연스러움이라고

굳이 만드는 선

너에게
굴복이 있긴 할까

나는 발버둥 치며 애쓰는데
굴러들어 온 돌이 박힌 돌 빼듯이
부딪힌 내가 이상해질 정도로

너스레 떠는 모습이 굴곡진 공으로
어떻게 해도 맨홀에 빠지지 않는
얄미움까지 장착한 공 말이야

너가 소중한 만큼
다른 이들도 소중하니
앗아가지 말고

내 공간으로 날아갈 테니
각자 자리에서 성장하며 살자

수긍이 수금으로

수긍이
직격탄을 맞을 줄 몰랐다.
수상하다고 느끼지 못해
평소와 똑같다 느꼈다.
수긍이 수금으로 바뀌었을 때,
직전까지 왜 몰랐을까 하는 후회
수 없이 하면 뭐 할까.
평범하다고 생각한 모든 것들을
직방으로 바꾼 것을.
선택이
직접적인 영향을 끼친 건 맞으니
각자 소비한 사랑이 수금으로 바뀌었을 뿐.

나이의 반격

숫자에 불과할 줄 알았다
속에서 아파하는 줄 모르고

숫자에 불과하다 생각했다
속에서 울부짖는 줄 모르고

숫자라고만 생각했다
시간 앞에 아무것도 아니라고

숫자일 뿐이라고 넘겼다
흐르는 세월 속 달라지고 있는 줄 모르고

숫자만은 아니더라
흘러가고 있는 달라짐을 받아들여야 하더라

아무것도 아니라 생각했는데
속에서는 변화하고 있더라

숫자일 뿐이라 했다
어딘가 고장 나고 있는 줄도 모르고

꺾이는 건 나이가 아니라
속에서 꺾이고 달라지고 있는데

아니라고 생각했는데
속에서는 울부짖고 있더라

담은 눈동자의 그리움

그리움에 젖어
눈동자에 젖어

너라는 그리움에 젖어
나의 눈동자에 젖어

젖은 눈동자에 너를 담고
젖은 그리움에 나를 담고

그리움에 젖어
눈동자에 젖고

나의 그리움에 젖어
너의 눈동자에 젖고

젖은 눈동자에 나를 담고
젖은 그리움에 너를 담고

적셔진 그리움과
담긴 눈동자에

차가움과 따뜻함이
글썽인다

여러 뿌리들이 얽히면

문제라고 생각하지 마
다를 수 있어
맞을 때도 있으면 다를 때도 있으니
그걸 혼자만의 문제라고 자책하지 마

힘들 수 있어
다 그렇게 살아도 네가 겪는 문제는
나만 아는 문제니까
다 그렇게 살아간다는 말에 상처받지 마
너는 너답게 살아가고 있고 너는 소중한 존재야

아픔은 예고 없이
빠르게 찾아온다고 해
행복은 서서히 찾아오는 거라서
늦게 알아차린다고 해

즐거운 게 좋아서 아픔이 오는 거 모른다고 해
즐거웠으니 아픔도 잘 견딜 수 있을 거라고 해
갑자기 쿵 하고 떨어지면 더 아픈데 말이야

얘기할 수 있고 들어줄 수 있지
할 일 하면서 귀로 듣기만 해도 되고
할 일 하면서 입으로 얘기해도 되는걸
네가 문제라고 생각하지 마

혼자라고 생각하지 마
외로울 수 있지
한 번 찾아도 웃으며 반겨주는 사람들이
주변에 있다는 걸 기억하면 좋겠어
너는 너답게 살아가고 있으니까

너 혼자 아니라고 너 혼자의 문제 아니라고
얘기하고 싶어

길 위의 마지막 잎새

어쩌면 그렇게
왔던 길이 멀게만 느껴지고

어쩌면 그렇게
다가왔던 길을 밀어내기 바쁜지

어쩌면 그렇게
어설프게 왔다가 어설프게 갈까

어쩌면 그렇게
어여쁘게 핀 꽃 한 송이를 꺾었을까

어쩌면 그렇게
힘들게 왔던 길을 되돌아갈 만큼

어쩌면 그렇게
어쩌면 그렇게

젖은 편지

종이에 써 내려가는
이 말이 어디까지 너에게 닿을까
달고 쓴 이 말을 뱉기까지.
종소리 타고 너에게 닿을까
이토록 멋졌던 사람이었다고
달님에게 가는 길은 외롭지 않냐고.
종일 네 소식을 보며 우는 많은
이들의 눈물이 모여 네가 가는 길이
달까지 닿기를 바라며 그리워해.
종이가 젖어 찢길 정도로 모인 눈물 앞에
이렇게 보내야 하는 것이 믿기지 않고 어디선가
달리고 있을 것만 같아, 그리워.

검은 안대

먹이 검은색인 이유는
튀는 것보다 모든 색을 덮기 위함인데
먹는 것에 눈이 멀어
튀는 건 모를 줄 아나 보다.
먹는 것에 고마움을 느끼지 못해
튀는 미안함도 느끼지 못하나 보다.
먹을 것을 준비하며 공들인 시간까지
튀튀 앞에 물거품이 되어 아프다.

머금은 시린 恨

한 스푼이 네 스푼 되고
한 슬픔이 내 슬픔 되어
한시름 앓을 일이 내 시련으로

한 스푼이 네 스푼 되어
한 꼬집이 나를 꼬집고
한 꼬임이 나뒹굴며 밀어버린다

한 서린 한기는
한 해 두 해
한참을 한시름 앓고

한 서린
한기에 호호 입김만
한입 가득 머금고 있다

빚 그리고 빛

빛도 빚이 될 때 있고
빚이 빛이 될 때 있다

널려있는 빛이라도
뛰어가다 보면 그 빛이 보이지 않을 때도 있고
기차처럼 빠르게 달려도 빛이 보일 때가 있다

빛에 취해 가벼운 발걸음처럼
빚어야 맛난 만두처럼

널 만난 게 빛이 될 수도, 빚이 될 수도
뛰지 않아도 잔잔한 바람 따라 그 끝의
기운은 빛일까, 빚일까

더하기와 빼기

공기마저
놀자고 부른다.
이렇게 흐린 날씨에
파김치 되어 구름 한 점 보기 힘들었는데
티백 우려낸 차 한잔 들고 올려다본다.
공사장 소리만 맴도는 조용한
놀이터에
이름 모를 벌레들이 인사한다.
파릇파릇하게 피어오를 준비하는
티 없이 맑은 새싹도 반긴다.
공허함에 차 한잔 들고
놀이터에서
이기기도 하고 지기도 하는 내 팀의 경기를
파일처럼 머릿속에 차곡차곡 담아본다.
티 나지 않게 그렇게 쓴맛과 단맛을 마주하며.

얼어붙은 사춘기

다가오는 것도 몰랐다
익숙해지는 것도 몰랐다

스며들었다
스친 줄 알았는데 스며들었다

다를 줄 알았을까
다 그렇게 살지 않을까

스무 살의 봄은
서른 살의 봄은

스스럼없이 스며들고
스르륵 녹아 얼려버렸다

다 지나간 줄 알았다
다가오고 있는 거였다

스무 살의 봄은 따뜻할 줄 알았다
스무 살의 봄은 냉정하게 차가웠다

다시 오지 않을 시간이
다 알고 있다고 생각했던 순간이

서른 살의 봄도
스무 살의 봄처럼

스치기만 해도 아팠고
스르르 작아지게 했다

흘러내림의 마침표

아직도 고민하고 있다
내가 사는 삶이 맞는지
답은 없다
내가 살아가는 길이 맞는 것이고
내가 살아가는 순간이 맞는 것이다

똑같이 하면서
나에게만 잣대가 심할 때
쓰디쓴 커피와 달달한 술로 달래며
열심히 한 거 알아주지 않고
다른 이만 찾을 때
쓰디쓴 커피와 달게 느껴지는 술로 달랜다

아직도 고민이다
나와 맞는 사람은 없는 것인지
나와 어울리는 사람은 없는 것인지
내가 문제인지
아픔이 찾아오면 내 탓을 하게 된다

이 또한 살아가고 있는 것
고민하고 걱정하고
무언가를 찾고 있으며
나아가고 있으니
이 또한 맞게 살아가고 있다고 쉼표를 찍는다

오래된 굴뚝처럼

어떻게 흘러가는지 모른 채
마주한 모습

하루를 먹는지 이틀을 먹는지
몇 달을 먹는지 한 해를 먹는지

아픈 기억 띄워지고
감춰진 상처 올라오고

어떻게 흘러가는지 모른 채
마주한 모습

스타카토, 띄어쓰기처럼
건너뛰어 가버린 기억처럼

아픈 상처 띄우고
감춰진 아픔 둥실

어떻게 흘러가는지 모른 채
마주한 모습

이렇게라도 살아가니
어떻게든 살아지겠노라

아픔과 상처는 내가 누릴 행복의
극소수일 거라고

새살이 다 차오르지 않았어도
그럼에도 나 살아가고 있다

치우칠 수 없다, 공존한다

차가우면 툴툴
따뜻하면 오글오글

귀로 듣고 눈으로 보고
느끼는 모든 감정을
울면 운다고
차가우면 차갑다고

따뜻하면 오글오글
차가우면 툴툴

눈으로 보고 귀로 듣고
드러낼 수 있는 모든 감정을
차가우면 차갑다고
울면 운다고

마음이 가는 대로
머리가 시키는 대로

차가우면 차가운 대로
따뜻하면 따뜻한 대로
웃으면 웃는 대로
울면 우는 대로

그대로 느끼고 즐기며
기준보다 자유롭게 풀어보자

아스라이 피워낸

이 순간뿐인 아이의 순간
구불구불 S자 길을 가도
길을 알려주는 존재가 있다는 것

아이와 어른 그 경계의 순간
툴툴거려도 그려질 소설을 쓰고
물줄기가 T로 흐르는 경관이 펼쳐지는 그 순간을

은은하게 비추는 성장의 순간
재잘재잘 아지랑이 피어나고
피식 웃을 수 있는 귀여운 간지러움이

사랑의 간지러움도 아이 좋다고
이 순간 아스라이 피우며
쓰라림도 아물었다고

은근슬쩍 찾아온 길잡이는
태우지 못하도록 잡아두고
튼튼한 세상을 만들었다고

순간순간마다 알려주는 존재가 있어서
든든하고 편안한 경관이 펼쳐지고 있다고
성장하는 소설에 이 순간을 담는다

믿음 뒤에 숨은 양날

보이는 것 그대로 믿고 싶다.
인간관계에서 제일 중요하게 생각하는 것이
'믿음'이기에 그릇된 것을 보지 않으려 한다.

그릇된 것부터 봐야 한다고 한다.
TMI라고 느낄 만큼 투명하게
공개하는 이들이 드물어서
그릇된 걸 알아야 한다고 한다.

재고 밀고 당기는 관계가 맞을까?
보이는 그대로 향하는 관계가 맞을까?

시간이 지난 후, 그릇된 것들은 시간 낭비일까?
처음부터 그릇된 것들을 찾아
끝내는 것이 시간 단축일까?

믿음 없이 바뀌기만 바라고 맞추는 것이 아닌
맞춰주길 바란다면
어떤 것도 그저 시간 낭비에 속하지 않을까?

틀린 것으로 단정 짓는 것이 아닌 다름으로
곁을 두는 것이
인연으로 닿은 이유에 대한 믿음이라고
얘기하고 싶다.

자꾸 멀어지는 결승선

매일매일을 살며 보이지 않는
하루의 선에 다다를 때까지
날마다 달린다

쉼 없이 달리다
차오르는 숨이 탁 모이면
거칠게 뱉어지는 하루의 요약

매일매일을 달리며
걸으면 지고 있는 게 아닐까
보이지 않지만 정해둔 선을 향해 달린다

조금이라도 달려 빠르게 닿는 것이
남과의 경쟁일까
나와의 경쟁일까

쉼마저 혼자의 경쟁
뜀마저 혼자의 경쟁
경쟁을 만들고 승기도 혼자 갖는다

매일 매일을 달리고 또 달리며
발 도장이 끊기고 발 도장이 찍히고
무엇을 향해 뛰고 쉬고 있을까

거칠게 뱉어지는 하루의 요약 앞에
하루의 결과물은 갑갑함일까 만족함일까
뛰어오르는 갈증을 해소한 하루였을까

뛰고 쉬고 답을 알 때까지
달리고 비우고 달리고 쉬고
보이지 않는 선을 향한 연장선이다

전용 대나무 숲

알아차리면
끝일까 봐
끝까지
모른 척 바보같이

알아도 모른 척
모르면 끝까지 모르는 게
바보 같다 해도
머리 아프지 않아서

모른 채 끝나는 것도
마음 편한 길이고
알아도 아름답다면
편한 길일 테니까

바보 같던
아프지 않던
떵떵거릴 작은 곳의 쉼이라면
편하니까

가만히 기대어 숨만 쉬어도
흐르는 시간 속에
감춰주고 잠시 잊을 수 있도록
머리 아프지 않으니

알아도 몰라도
들어도 못 들어도
보물찾기하듯
편할 테니

돌아오기 싫어

떠난 길 앞에서
돌아오기 싫더라
떠난 이 길이
행복해서

떠난 길 앞에서
돌아보기 싫더라
떠난 이 길이
좋아서

떠난 길을
돌아오기 힘들더라
떠난 길을
돌아보지 않아도 돼서

떠나온 길을
돌아보기 힘들더라
떠난 길을
돌아가면 또 아파야 해서

떠난 길 위에서
떠나온 길을 바라보며
떠나온 길 위에서
돌아갈 길을 바라보며

돌아갈 길 위에서 쓰일
버팀목을 찾아
떠난 길에서 찾는 기쁨이라며
버티고 있다

나만 느끼는 출렁다리

놀이 기구를 탄 것도 아닌데
땅이 일렁이고
하늘이 일렁인다

놀이 기구를 타지 않았는데
꿀렁꿀렁
울렁울렁
이러다 출렁출렁 오려나

보이지 않는
놀이 기구를 타고 있는 걸까

보이지 않는 꿀렁임에
꿍꿍꿍 하는 속앓이

울렁울렁 멍한 호흡에
꿀렁꿀렁 토해내기 바쁘다

하루라는 놀이 기구를
제대로 탔나 보다

발길이 드르니(=발길이 들르다)

솔솔 불어오는 바람을
의자에 앉아 느끼고 있다.
눈짓을 보내는 새들과 통하지 않는
솔직한 얘기들도 나눠보고
의자에서
눈을 붙여본다.
솔깃하게 만드는 바람을
의식한 채
눈 뜨니 보이는 구름의 여행.
솔솔 부는 바람이 이끄는 여행
의 즐거움은 어떤 걸까?
눈에 보이는 구름마저 부러워진다.

달콤함의 회유

띵하게 만든 설렘
가득한 말에
띵하고 멈춘 회로.
가식은 아닐까?
딩동댕하고 울리는 소리가
가장 좋은데
딩동댕 아닌 삐로리가 되면
가증스러운 말에 당해서 띵하다.

이별의 아픔

아플 줄 몰랐어
이렇게 아플 줄 몰랐어

못 해준 기억만 피어오를 줄 알았으면
이렇게 끝낼 거였으면 더 표현해볼걸

아플 줄 몰랐어
이렇게 아플 줄 몰랐어

뒤돌아서 그리움이 피어오를 줄 알았으면
더 사랑해줄 걸

아플 줄 몰랐어
이렇게 아플 줄 몰랐어

네 옆에 당연히 나
내 옆에 당연히 너

아플 줄 몰랐어
이렇게 아플 줄 몰랐어

너와 함께라서 행복했는데
너를 아프게 할 줄 몰랐어

아플 줄 몰랐어
이렇게 아플 줄 몰랐어

옆에서 나를 웃게 하던 너를 그리워하며
이렇게 아플 줄 몰랐어

채우고 비우는 월요일

케이크 한입에 울적한 마음 털자
커피 한 잔에 터질 마음 차곡차곡

케이크 한 판에 이겨낼 마음 채우고
시원한 스무디 한 잔에 당당한 마음 채우고

좋은 날에 웃으며 미소 가득 머문 채 먹고
시린 날에 울며 미소 채울 날을 그리며 먹고

달달한 케이크 한입에 시린 마음 넘기고
쓰디쓴 커피 한 잔에 당당해질 내일을 채우고

사라지는 케이크 접시에 새로이 채우는 내일의 모습
달달함과 쓰디씀에 비우는 오늘의 모습

케이크 한입에 털고
음료 한 잔에 채우자

우리 그렇게 털어내고
새로이 채우며 살자

채우고 비우는 금요일

소주 한 잔에 울적한 마음 털자
맥주 한 잔에 터질 마음 차곡차곡

비우는 소주 한 병에 이겨낼 마음 채우고
비우는 맥주 한 병에 당당한 마음 채우고

좋은 날에 웃으며 털어 넘기고
시린 날에 울며 털어 넘기고

비우는 소주 한 잔에 시린 마음 넘기고
비우는 맥주 한 잔에 당당해질 내일을 채우고

비워지는 병 속에 새로이 채우는 내일의 모습
비워지는 잔과 함께 비우는 오늘의 모습

소주 한 잔에 털고
맥주 한 잔에 채우자

우리 그렇게 털어내고
새로이 채우며 살자

변화에 던지다

파란만장했던 시간에서
도망치고 싶었다.
파도 파도 나오지 않던 물건처럼 무엇
도 기억하고 싶지 않았다.
바라보는 것도 싫었고
다가오는 것도 싫었고
바람에 나를 싣고 떠나고만 싶을 뿐
다 싫었던 그 시간.
파란색으로 채워낸, 내 순간을
도라에몽 주머니에서 꺼내어
바꿀 수 있기를 바라며
다 담고 있다.

나만 알던, 이젠 드러낼

아직
이루지 못한 꿈이
스치듯 맴돌고 있다.
아련히 남으려
메아
리 울리는 것처럼 닿을 듯 말 듯
카메라에도 담기지 않을
노란 안개처럼
아무도 모르는 나만 아는 꿈이다.
이뤄지는 순간에
스르륵 놓아버릴
초조한 이 마음도 촉촉이 젖어 든
코처럼 적셔지며 닿으려 애쓰고 있다.

제자리인 듯 찾은 제 자리

아직도
기다려.
상상이 현실이 되기를.
어떻게든 이뤄지도록 노력하고 있는데
아쉬움을 남기지 않아야 이뤄질지
기도하고 바라는데도
상상으로만 남아있네.
어제도 오늘도 내일도 이루려고 노력하고 있어.
아차 싶을 때
기도의 간절함과 노력이 끝까지
상승해서 맞닿아 이뤘을 때
어질어질했던 마음이 그제야 제자리를 찾았다.

굳이 그렇게

자신의 이익을 위해 타인을 아픔으로 내몰고
기막히게 차려진 밥상 사수를 위한 이기심으로
장대를 올리면 오래 갈까.
자기 밥상을 타인이 차리면 체하지 않을까.
기다린 시간만큼 더 달콤한 기분이지 않을까.
장난이라도 상처를 내는 건 나쁘다.

단단한 굳은살처럼

완벽함에
두려워하지 말자
콩하고 부딪히다 보면
강해져 굳은살이 생기면서
낭창하게 스스로 완벽하다고
콩콩 박을 수 있다
검은 유혹도
은은하게 뿌리칠 수 있고
콩나물밥처럼 잘 어우러져 살아갈 수 있다
작아지지 말고
두리번거리며 익숙해지니
콩닥콩닥 마음 쿵쿵 바꾸며 살아간다

끊어지지 않는 끈

화르르 타는
끈을 놓지 말라고 함께 잡아줬다.
화면에 보이는 모습 전부가 아니라고
끈끈한 믿음으로 식혀지도록 안아주는 차가움이
화려해질 다음을 만들어준다.
끈질기게 밀어주고 이끌어주는 믿음이
화르르 태울 수 있던 순간을
끈적이게 견뎌서 화려함을 만끽하라고
화면 뒤의 모습을 봐주며 냉탕, 온탕을 넘나들고
끈이 단단해지도록 또 잡아준다.
화려하지 않아도 되니
끈끈하게 살아가자며 놓지 말라고 얘기해준다.

내가 만든 이정표

다 잘할 수 없다.
시작이 반 이랬다.
마지막은 내가 결정한다.
다짐하고
시도하고
마무리까지 모든 건 내가 한다.
다치지 않고 완주할 목표지점을 향해
시작했으니
마칠 때까지 끝난 게 아니다.

곁의 종착지

도망가야 할 사람은
미운 사람 아닌가, 내가 왜
노력해서 도망가려 할까
도망칠 힘으로
미치도록 내가 더 날아가야지
노를 한없이 저어 내가 웃을 종착지에
도중에 포기하지 않았다는
미끄러지지 않았다는 날개가
노력의 종착지라는 끝 모를 곳을 향해 날아간다

버릴 부스럼

너무 부러워 말자
나도 누군가에게 부러운 대상이니

적당히 부러워하자
누군가에게 나도 부러운 대상이니

부러움으로 작아지진 말자
나로 인해 누군가도 작아졌을지 모르니

너무 불안해하지 말자
나도 누군가를 떠날 수 있으니

적당한 불안감은 방어할 수 있다
누군가가 떠날 여지는 있으니

불안함으로 작아지진 말자
나로 인해 누군가도 불안할 수 있으니

떠나는 사람도 떠나야 할 사람도
가벼운 이유라면 아픔이 찾아오니

부러움에 작아지지 말고
불안함에 떠나지 말자

불필요한 부스럼은
버리기 쉬우니까

흉터의 새살

깨진 사랑에 마음 부었던
기나긴 거리두기를 끝낸다

깨진 사랑에 마음 부으며
지워지고 있던 나

깨진 사랑은 처음부터 아니었으니
이별의 이별은 끝나는 소리만

처음부터 아니었으니
끝이란 마지막도 없다

깨진 사랑과 불타는 사랑은
한 끗 차이

깨진 사랑에
안녕이란 말도 아까울 뿐

깨진 걸 이어 붙이려다
베여 쓰라리지 말고

처음부터 아니었으니
지워진 나부터 새로 채우며

한 끗 차이에
가뭄이 된 흔적만이 남는다

METRONOME

좋은 사람 나쁜 사람
사람의 장단점은 어디서 나오는 걸까

장기적으로
점점 오래 보면서 서로 알아가고
단숨에 보려고 하면
점으로 보이며 금방 지친다

결국 나와 맞는 사람
내가 기준이 된다

장난이라 하면서
점점 지치게 만들고
단호하게 가스라이팅 하며 스스로
점이 되고 있다

크게 잘못한 것도 아닌데
맞지 않는 걸 크나큰 잘못한 것처럼
만들어 버린다

장을 만들고 시간이 지나면 깊어진다
점점 먹다 보면 새로운 맛이 나타난다
단기간, 입맛에 맞는다고 좋아하다
점점 실망한 적 있지 않은가

점점 깊어지는 그 맛에 익숙해지는 것도
좋을 수 있다

잘못했다, 틀렸다가 아닌
다른 것과 잘하지 못하는 것
그렇게 통증을 줄여본다

작심삼일의 고무줄

쭉쭉
늘려졌다가

짝짝
당겨지고

쭉쭉
땀이 빠지고

짝짝
눈물이 빠지고

고무줄처럼
늘어졌다 당겨졌다 짝짝

땀인지 눈물인지
늘려졌던 기억으로 다시 쭉쭉

당겨지고 늘려지고
화끈화끈 간질간질

스르륵 흐른다.
트럭 지나가는 소리가 들린다.
레미콘이 지나가기도 하고
칭얼거리지도 못하게 꾸준히 안 한 내 탓이지 뭐.

자리의 이미지

돌고 도는 이야기
그 속에 만들어지는 이미지

돌고 도는 이야기 속
각자의 기준으로 존재하는 옳고 그름

돌고 돌다 보면
법을 벗어나고 벗어나지 않는 그 차이

돌 틈 사이에 핀 꽃도 아름다운데
돌 틈 사이가 아닌 다른 곳에서 핀 꽃도
아름다울 수 있다

돌아올 이야기에 굳이 만들어야 할
이야기가 필요할까
돌보다 더 단단해지는 것도 자발적일 텐데

돌고 도는 이야기에 강제로 단단해지면
돌의 탈을 쓴 채 부서지는 한 줌뿐이다

돌에 부딪혀 돌아오는 고통이 아닌
돌 틈에서도 피어난 한 움큼 꽃으로

돌고 돌아 제 자리를 만드는 것도
돌고 돌아 자리가 있으면
이곳이 내 자리고 나인 것이다

잡초의 뿌리처럼

자리가 있을까
내 자리 찾기는 매일

자라날 수 있을까
빼곡한 틈 사이에서도 자라나는 강인함

만들어야만 자라서 자리를 두고
둔 자리를 지켜야 한다

행복이 자라는 것처럼
아픔도 자라나고 있다
잡초처럼

잡초에 약을 뿌리면
새로운 잡초가 자리를 침범하고
자리는 항상 위험하다

빼곡하고 촘촘한 그 틈에서도
강인함으로 뿌리를 내리고
굵어지는 일을 매일

잡히기만 한다고
초라해질까
잡으러 다니는 것도
초조해질까

잡생각이 기회를 만들고
초점 없던 눈빛마저
잡아먹을 듯한 강한 생기로
초록 초록한 들판을 이룬다

노새(=늘, 항상)

언제나
행복한
일상의
치수를 잴 수 있을까?
언쟁과
행동을 가라앉히고
불같이 피어오르는 마음을
일정하게 갖고 가는 것이
치부를 드러내지 않는 것일까?
언급하고 싶지 않아도
행동과 표정의 반응이 쉬이 가라앉지 않으니
일상에 타격이 생긴다.
치사한 사람 따로 있고
언짢은 사람 따로 있고.
행복과 편안함만 있을 수 없는
일상이 다양하게 펼쳐지지만
치료도 안 될 갱생 불가만큼은 되지 말자.

무대의 긴장감

무서웠어
두려웠고
아찔했어

무서웠어
삶의 무대 위에서 제대로
살고 있지 못하고 있다는 걱정에

두려웠어
그 손을 놓으면
덩그러니 혼자일 거 같아서

아찔했어
아무것도 아닌 걸로
아무렇게나 망친 무대의 주인공인 거 같아서

어떻게 해야 할까

일어서야 할 자리에서
주저앉아 멍하니

주저앉아 멍하니 있을 때
정신이 마구 돌아다닌다

마구 돌아다니는 정신을 잡으려
몸을 바삐 움직인다

일어서야 할 자리에
가만히 있지 못하고 이리저리

산만한 걸까
괴로움을 깊게 생각하고 싶지 않은 돌파구일까

돌파구에 서성일 수도 있고
돌파구에 파고들 수도 있고

일어서야 할 자리에
주저앉는 것도 이유가 있고

주저앉아야 할 자리에
바삐 움직이는 것도 이유가 있다

회피 아닌 해피를 위해

하고 싶은 것을 억누른 채
해야만 한다고 느낀 채
다가올 때 내려두었다

하고 싶은 것을 해야 할 때
해야만 하는 것을 할 때
그렇게 알아차릴 때 조심했다

조심도 내려두기도
쉽게 오지만
행할 때는 쉬운 것이 어디 있으랴

쉽게 온 건 쉽게 내칠 수 있고
어렵게 온 것은 내치는 것도
어려운 것을

외치고 던지고 울부짖고
그제야 차분히 단어가
찾아왔다

충분히 차분히
될 수 있는 것을
악을 써야만 했을지

선한 마음 충분히 즐기지 못하고
인상 찌푸려야 할 때
장단 맞추느라 고생했으니

어디를 가야 할지
어디서 쉬어야 할지
나서는 모든 길이 목적지다

연중무휴 메모장

말로 시작해서
머리로 끝나

머리로 시작해서
기억 저편으로 끝나

말로 시작해서
기억 저편으로 끝나

머리로 시작해서
말로 끝나

저기 어딘가 떠돌
내 기억과 내 말

머리에서 떠올라
말로 만들어지고

말에서 떠올라
머리로 만들어지고

고뇌가 나른해질 때
나를 찾았다고

저기 어딘가에서도 보일
내 기억과 내 말

뛰어 날아보자

자욱하게 깃든 한숨이
뭉글뭉글하게 피어오르며
벽으로 막혀 버렸다

자욱하게 깃든 숨소리가
둥글둥글하게 뭉치며
통통통 튀어 오른다

자욱하게 피어오르는 것들이
가벼울지 무거울지
자작하게 타들어 간다

자욱하게 깃든 튕김도
튀어 오르다 어느새
멈출 때가 온다

자신감에 뿌리는 한숨은
내려오라고 잡아끄는 것이니
자신감에 한결같음을 뿌리면 된다

튀어 오르는 마음이
벽을 뚫을 수도 있고
날아올라 내려오지 않을 수도 있다

뭉글뭉글함이 피어오르도록

빵빵한 백 점

식어버린 마음은

빵점일까

피하지 않고

자연스럽게 스친

빵점과 백 점 그 어딘가

치여서 아플까

즈려밟아 아플까

빵처럼 부푼 마음에 점수는 누가 채점할까

감정에 점수를 매긴다면

자주 느끼는 감정과 한 번씩

빵빵하게 부풀어 오르는 감정은 몇 점일까

소소하게 흐르는 나의

세상이

지속해서 흐를 수 있다면

빵긋하게 웃고 빵빵하게 부풀어도 백 점이다

규정 속도로 가도 집

시들해진 이야기에도
물을 주면 살아날까

잃어버린 길에서
교차로로 가면 기억날까

가야 할 길
해야 할 이야기가 있는데

멈추면 기억날까
돌아다니면 기억날까

내 일상, 내 발걸음이
길이 되고 이야기가 되는데

헤매고 있는 척
규정 속도로 잠시 쉬고 있을 뿐이다

닫힘 버튼

닫혀서
다친 걸까

다쳐서
닫힌 걸까

열려있던 문을
꽉 닫아버리고

닫힌 문이
다시 열리기까지

닫혀서
다친 걸까

다쳐서
닫힌 걸까

열리지 못하도록
닫힘 버튼을 빠르게 누르고

처음부터 열어둔 문은
빠르게 닫히기만을 기다리고

처음부터 꽉 닫아둔 문은
다시 열리지 않았다

벌이 별 되어

이별은 꿈일 수 있고 끝일 수 있다
이 별이 꿈일 수 있고 끝일 수 있다
사랑해서 헤어진다는 건 끝을 알고도
아픈 일이니까

이별은 새로운 시작일까
이별은 새로운 도약을 위한 일이 될 수 있다
더 나은 발전으로 나아가는 건 행복한 일이니까

이 세상에서 너라는
별을 만난 건 행운이야
반짝이는 별이 너라고 얘기할 수 있다
이 순간을 누구보다 바랐으니까

이별은 끝이자 시작이다
꿈을 꾼 것처럼 믿을 수 없지만
새롭게 살아가는 발판이니까

이별로 모든 걸 잊고 살지는 않으니까
이 별에서 모든 걸 잊고 살지는 않으니까
함께 했기에 기억하고
함께 했기에 그리워할 수 있는 거니까

이렇게 만났고 저렇게 만났더라도
별의별 일은 존재한다
이 순간을 어떻게 담고, 어떻게 정리하냐에 따라
별이 되고 벌이 될 수 있다

호수가 바다 되려면

퐁당퐁당 던진 돌에 맞으며
살랑살랑 부는 바람에 맞으며
아픔인지 당연함인지

퐁당퐁당 던지는 돌에 즐거웠다
살랑살랑 부는 바람에 즐거웠다
즐겨야만 했을지

던진 돌에 맞아 몽글해진 마음도
부는 바람에 맞아 사그라진 마음도
순간에 따른 감정이니

퐁당퐁당 소리가 즐거울지
살랑살랑 기분이 즐거울지
즐거우면 다행으로

나쁜 감정도 나은 감정도
좋은 감정도 아닌 감정도
다행히 흘러간다고

돌다리도 조심해야 하고
불어오는 바람도 조심해야 하고
조심히 즐기면 다행이라고

퐁당퐁당 거꾸로 올라가는 연어보다
큰 곳을 향해 나아가려는 발걸음이
무거워도 그렇게 흘러간다고

던진 돌과 불어오는 바람의 반동으로
흐르고 흘러 바다에서 즐긴다고
흘러가는 반동에 즐기면 다행이라고

다행이야

다행이다
이만하길

다행이다
이렇게 지나가서

다행이다
그럼에도 웃을 수 있어서

다행이다
여기까지라는 게

다행이다
이 정도인 것도

다행이다
이렇게 넘길 수 있어서

다행이다
오늘 하루 잘 넘겨서

다르고 달랐던 하루를
행복으로 마무리할 수 있어서

다행이다

몽글몽글

툭 하고
쭉쭉 흘러나오는 미소

툭 하고
쭉쭉 흘러나오는 이야기

툭 하고
쭉쭉 흐르는 눈물

툭 하고
쭉쭉 흘려보내는 바람

툭 하고
쭉쭉 짜내는 땀

툭 하고
쭉쭉 짜내는 두부처럼

면포에 쌓인 것들이 풀려
아낌없이 쓰인다

미소로 쓴 이야기도
눈물로 보내는 바람도

두부처럼 흐르는
몽글몽글한 땀도

면포에 쌓여
다 그랬다고 말린다

툭 끊어지지 않았으니
쭉 달려도 된다고 말이다

장식장에 쌓인 세월

한 치 앞을 모르는 인생
한 치 앞을 모르는 인연

빠르고 느린 인생
빠르고 느린 나이

세월의 흐름에 나를 맡긴 채
나이는 잊은 채

흐르고 흘러버린 나이 앞에
흐르고 흘러버린 인연

붙이면 붙이는 대로 다르게 표현되는 말처럼
나이도 인생도 한 치 앞을 모르는 것을

잘나고 못나고
평범하고 부족하고

흐르고 흘러버린 나이 앞에
흐르고 흘러버린 인연

세월의 흐름에 나를 맡긴 채
각자의 기준에 살아가는 삶은

한 치 앞을 모르고
붙이면 붙이는 대로 떼면 떼는 대로

한 번 들어가 버린 것은
내 손으로 빼기 전까지

흐르는 이야기가 역사로
기억된다

My life story

하루의 냄새가 묻고
1년의 냄새가 엉킨다

하루의 이야기가 쌓이고
1년의 이야기가 한편으로

하루의 말들이 얽히고
1년의 책이 완성된다

하루가 짧고 길더라도
1년으로 보면 소중함으로

하루를 엮어도
1년이 풀어질 수 있다

하루가 풀어지고
1년을 묶어 단단해지도록

하고픈 말을 담고 담아
루틴처럼 완성될 나만의 이야기로

하루를 담고
1년을 품고

하루를 품고
1년을 담고

하루의 이야기가
1년이라는 책, 영상으로 남는다

마음의 조명

깜빡깜빡
꺼질 듯 말 듯
배터리가 방전되었다

방전된 채
온기를 전하며
머문다

반짝반짝
은은한 불빛이
포근하게 안아준다

색에 따라
온도에 따라
켜지고 꺼진다

포근히 안아주는 불빛
시리도록 차가운 불빛
배터리 방전으로 나의 빛만 남았다

온도도 다르고
색도 다른 인연들과 함께
여러 조명을 비춘 채 살아간다

울타리의 이야기

눈물로 호수를 이루고
웃음으로 꽃밭을 이루고

눈물로 마음을 씻고
웃음으로 향기를 적시고

눈물로 그리움을 닦아내고
웃음으로 향수를 만들고

눈물로 닦은 이야기를
웃음으로 예쁘게 포장한다

눈물로 바다를 만들고
웃음으로 산을 가꾸고

눈물로 흙길을 닦고
웃음으로 씨앗을 뿌리고

눈물로 이슬을 맞으며
웃음으로 쉼터를 만들고

눈물로 우물을 만들고
웃음으로 텃밭을 가꾸고

눈물로 적신 이야기를
웃음이란 상자 속에 담는다

이정표 없는 인생 행로

드넓게 핀 개나리 한 송이 들고
웃음소리 따라 밟으며 가는 길
바람에 날리는 꽃송이 송이마다
동무가 되어 함께 날아가는 길

드넓게 핀 유채꽃밭
드넓게 핀 나팔꽃밭
꽃 한 아름 품고 가는 길
외롭지 않으니 웃으며 손 흔들겠노라

드넓게 핀 백일홍을 품에 안으며
흩날리는 꽃향기에 취해 가는 길
새로운 시작의 여생에서 만나겠노라
뜨거운 기억 갖고 떠나며 웃으리라

백만 가지 겪으며
일생을 살았다
홍색 청색 가리지 않고 살았으니
백세 인생 후회 없으리라
일생의 희로애락 남기고 가니
홍곡지수 끝은 꽃길 따라가련다

가가호호 꽃밭을 이루며
앉은뱅이 꽃망울 톡 떨어지고
만개하며 인사하니
길동무 되어 날아가련다

잘 가요

하늘에 별이 태어났다
번쩍번쩍하는 빛으로 시선을 끄는 존재감이

하늘에 별이 태어났다
반짝거리던 빛의 시선이 아파서

하늘에 별이 태어났다
하늘에 필요한 별이라며
곁에서 반짝이는 별을 데려갔다

하늘에 별이 태어났다
울림을 전해주다 울려버린 채
곁에서 반짝이던 별이 떠났다

하늘에 별이 태어났다
번쩍하고 나타나
반짝하고 다시 태어났다

하늘에 별이 태어났다
아쉬움을 아리따움으로
전해주려고 다시 태어났다

이곳에서 빛났던 빛으로
하늘에서도 빛나겠다는 약속을 한 채
반짝이고 번쩍이며 밤하늘에서 인사한다

Not alone on the voyage

다 이뤄질 거야.
사라질 아픔에 연연하지 말고
다 안아줄 그런 따스함이
난 좋더라고.
다시 시작해도 돼.
사람도 일도 돌고 돌아
다 그렇게 살아가.
망했다고 생각하지 마.
일부러 한 게 아니라면
망망대해에서는 어떤 일도 생길 수 있어.
타당하지 않은 것을 타당하도록 편법을 쓰는 게
진짜 나쁜 거니까
일어난 일에 대해
거짓말만 하지 말자.
양면성에 상처받지 말고
실타래처럼 긴 흐름에 웃는 날이 더 많기를.

3장

끝없는 오르막길에서

생일 그리고 panda

"생일 축하해~"
"넌 왜 생일에 의미를 부여해?"
2가지의 반응으로 나뉜다.

생일, 나에게는 특별하고 중요한 하루이다. 누구보다 행복하고 싶은 하루의 꿈을 그리는 날이며, 누구보다 축하받고 싶은 그런 날이다.
개개인이 추구하는 가치와 의미가 다 다르듯이, 생일은 나에게 중요한 의미를 지닌 가치 있는 날이다. 1년 365일, 힘듦과 아픔이 가득 들어차서 지칠 때 단 하루! 생일만큼은 웃음 가득한 하루로 보내고 싶은 날이다. 2월이 생일인 나는 그날마저도 아프거나 힘들면 괜히 억울하고, 생일이 빠르다 보니 이날을 행복하게 보내지 못하면, 한 해를 시작하는 것부터 지쳐서 더 길게 느껴진다.
최근이었던, 작년(2023년)이 그러했기에 나에게는 생일이 무엇보다 중요한 하루이다.

태어나기 전부터 목에 탯줄을 감고 있었다. 그걸 모르고 자연 분만하려다 죽을뻔한 고비를 넘기고, 긴급 수술로 태어난 나여서 그런지 어릴 때부터 잔병치레도 많이 했었다. (선생님께서 걸어 다니는 종합병원이라 부를 정도였으니까) 다른 사람들에게는 평범하고 즐거운 날에 오한으로 울고 있기도 했고, 이유 모를 급체로 약을 먹고 잠만 잔 적도 있다. 태어나기 전부터 힘겨웠고 그걸 이기고 태어났지만, 엄마에겐 하반신 마비가 찾아왔다. 나의 탄생이 마냥 행복을 전해 준 게 아닌, 엄마의 길고 긴 후유증과 회복 시간을 안겨주었다. 나를 지키기 위한 엄마의 노력과 고생이 있었고 그렇게 탄생조차 노심초사, 성장하는 과정에서도 약했던 아이라 노심초사였다고 한다. 이렇게 힘들게 태어나서 남들과 다르게 생일에 의미를 두는 거 같다. 개개인의 차이기에 비난은 웃음으로 가득 할 날에 가시가 되어 선인장으로 만들어 놓을 때도 있다.

수많은 사람과 수많은 날짜 중 내가 살아가는 첫 시작. 해마다 오는 당연한 하루가 아닌 선물 같은 하루를 만들 수 있는 특별한 기념일이다.
1년의 수많은 날 중, 내가 태어난 특별한 하루에 의미를 부여하는 것이 문제가 될까?

당연하듯 넘기는 익숙함이 아닌 새로운 설렘으로 느낀다면 특별해져서, 새로운 설렘은 특별한 감정이기에 매번 새롭게 느껴진다.

어린 시절의 크리스마스도 마찬가지로 마냥 설레는 하루였다. 집에서 치킨도 먹고, 맛있는 음식을 먹을 수 있는 그런 날이었기에 기다렸던 몇 안 되는 날 중 하나다. 괜히 일찍 재우는 엄마의 성화에 못 이기는 척 잠들고, 일어나면 머리맡에 올려져 있는 선물이 반겨주는 기분을 즐겼던 거 같다. 제일 기억에 남는 크리스마스 선물은 아빠가 손글씨로 써준 편지와 함께 있던 인형이었는데, 기억 속에만 남은 그 인형을 떠올리면 몽글몽글해진다.

내가 뭔가 알고 기억할 무렵에 받은 첫 인형 선물이라서 더 기억에 남은 거 같은데, 그 인형을 생각하면 아빠가 처음 써주신 편지와 함께 받았던 것이라서 애틋하다.

다시 생일로 돌아와서 이야기해보자면, 나에게 생일 하면 빠질 수 없는 동물이 있다.

바로 "판다 panda"

기억도 못 하지만, 사진 속에 남아있는 인생 첫 인형, 애착 인형이라고 하면 판다 인형이다. 어릴 때부터 TV에서 곰, 판다를 보면 좋아했다고 하는데 세 살 버릇 여든까지 간다고 나에게는 자연스럽고 익숙한 동물이었다.

(강아지, 고양이를 좋아하기 시작한 건 무려 고2 때부터였다) 어릴 때, 판다 인형을 갖고 놀던 사진이 있어서 그걸 보며 '나는 모태 판다 러버구나' 생각하며 좋아했던 적이 있다.

엄마께 다른 인형은 없었냐고 물어보니, 다른 인형도 많은데 항상 판다 인형만 품에 안고 있었으며, 놀면서도 그 인형만 물고 빨고 유독 더 좋아했다고 한다. 그 판다 인형은 부모님 지인분께서 여행을 다녀오시면서 나의 탄생을 축하한다며 주셨고 (지금의 애착 인형처럼 주신 선물이라고 한다) 그렇게 사진에도 남아있는 생애 첫 번째 선물이었다. 동생이 태어나고 이사할 때, 버리고 올 정도로 길지 않은 시간이지만 그 인형에만 집착했었다고 한다. 곰보다 더 귀엽다고 느꼈던 건지……. 지금 생각해봐도 태어난 지 며칠 안 된 아기가 뭘 안다고 판다 인형을 받고 행복해했을까? 3n 살이 된 지금까지 판다는 익숙해졌다. 판다를 좋아한다는 걸 주변 지인들이 알게 된 이후로는 10대, 20대, 그리고 3n이 된 지금까지도 신기할 정도로 특정 해의 생일에는 선물로 판다 굿즈만 들어올 때가 있다.

그리고 10년째 생일 때마다 판다 굿즈를 생일 선물로 주는 지인도 있다. (책 읽고 있지? 네 얘기 맞아. 너의 얘기 짧게나마 이렇게 전하며 또 한 번 고마움을 전해) 이렇게 한결같을 수 있을까 싶을 정도로 10년째인 올해도 받았다. 이제는 나보다 더 다양한 판다 굿즈를 알지 않을까 싶을 만큼, 웬만한 것들은 다 받은 거 같은데 해마다 새로운 것들을 찾아서 보내온다. 이렇게 챙겨주는 감사한 지인들이 있어서 이젠 생일 때, 판다가 빠지면 섭섭할 정도가 되었다.

오랜 시간 판다를 좋아해 오면서 스무 살이 되었을 때, 다른 나라로 판다를 보러 갈 계획을 세우고 있었다. 여행 간 김에 볼 계획을. 근데 이게 무슨 일인가? 2016년에 우리나라로 판다가 온다는 소식을 알게 된 후, 설렘에 허우적거렸다. 많은 돈을 들이지 않고 우리나라에서도 판다를 볼 수 있다는 행복은! 판다 러버로서 어떤 표현도 할 수가 없었다.

행복감에 그저 입이 떡 벌어지고 눈이 커진 채 정말 오는 건지, 언제 온다는 건지, 엎어지는 일은 아닐지. 그 이후, 계속 기사만 찾아보다 에버랜드에서 일반인에 공개되기 전에 먼저 만나 볼 수 있는 기회! 이벤트를 한다고 하길래 참여했는데 말해 뭐해. 당첨! 설레는 마음을 안고 5촌 이모가 판다 굿즈를 사 오고 싶으면 고민하지 말고 사 오라며 주신 용돈까지 받았다. 나는 그렇게 사촌 언니와 함께 정말 행복이 가득한 에버랜드로 향했다. 행복했다. 피곤한 줄도 몰랐다. 그냥 정말 행복했다. 인형으로만, 사진으로만 보던 판다를 내 눈에 담는 그 행복감은 아무 말을 못 할 정도. 그저 "우와 WOW" 뿐. 그렇게 아이바오, 러바오를 보며 행복했던 시간만 간직한 채 바쁜 현생을 살고 있던 2020년! 우리나라의 첫 아기 판다 "푸바오 FuBao"가 태어나면서 잠시 내려두었던 판다앓이는 다시 시작되었다.

영상, 사진, youtube 구독까지 하며 쌓이는 푸공주의 사진들은 나를 웃게 해줬다. 뭔가를 좋아하면 오래 좋아하는 나는 푸바오를 통해 주키퍼(=사육사, 2024년 05월22일 세계 생물다양성의 날을 맞아, 에버랜드 동물원 주토피아에서 동물의 건강과 행복을 지키는 사람이라는 의미가 담긴 주키퍼로 사육사 명칭 변경)님들의 책도 읽으며 사육사라는 직업에 대한 관심도도 높아지게 되었다. 그렇게 푸바오 인형들과 굿즈들을 사고 즐기며, 쌍둥이 판다의 탄생도 축하하면서 마냥 행복하기만 했다. 아기 판다와의 행복이 끝까지 갈 줄 알았는데, 오지 않았으면 했던 푸바오의 중국행 날짜가 정해졌다. 2024년 04월 03일. 그저 한 생명의 일생을 위한 일이고, 잘 지내줄 거라 믿으면서 조금 우울하다 말겠지 했는데 그건 정말 크나큰 오산이었다. 실시간 방송을 보며 훌쩍거리다 정신을 차리고 보니, 옆에 휴지 산이 수북하게 쌓여 있었다.

3년이 넘는 시간 동안 푸바오라는 판다를 진심으로 아꼈음을 스스로에게 느끼면서 주키퍼분들은 오죽하실까 하는 마음만 가득 찼다. 이유 없이 그냥 판다를 좋아하기 시작했던 순간부터 지금까지, 앞으로도 판다를 좋아하는 것에 대한 이유는 없을 거 같다. 푸바오가 떠나는 날, 하늘도 같이 울어주듯 많은 비가 내렸다. 나와 같이 울어주는 느낌이었다. 원래 판다를 좋아했지만, 우리나라에서 자연번식으로 태어난 최초의 아기 판다라는 사실만으로도 큰 존재로 느껴져서 더 소중했다. 탄생부터 행복을 주었던 푸바오도 우리에게 받았던 행복을 간직한 채, 앞으로도 넘치게 받을 사랑을 꼭 기억하며 살아갔으면 좋겠다. 본인의 이름 뜻처럼 큰 행복을 준 푸바오라는 판다. 그렇게 너는 판다월드 안과 밖, 모든 곳에 큰 행복을 준 아이였다고 전하고 싶다.

이렇게 나에게 생일은 1년 365일 중 내가 제일 행복하고 싶은 날로 정해졌지만 판다는 익숙하게, 당연하듯 크게 의식하지 못한 채, 매일 함께 하는 존재이다.

판다를 아주 많이 좋아하는 나로 인해 지인들까지도 판다를 보면 나를 떠올리는 매개체가 되었으니, 이제는 나를 다른 어떠한 것으로 설명할 필요가 없는 것이 편해서 좋다.

364일, 모든 것이 다 지치고 힘들 때, 힐링을 찾을 수 있는 존재가 있다는 것만으로도 주저앉지 않고 살아가는 힘이 된다고 얘기하고 싶다. 내가 사랑하는 사람, 판다를 비롯해 이처럼 아끼고 소중하게 여기는 요소들이 해마다 생일을 마주할 수 있게 해주는 힘이라고……

특별한 것들이 쌓이고 쌓여 더 의미 있는 생일이라 얘기한다.

노래와 함께 한 아이

"너는 나이도 어린 애가 트로트를 좋아하니?"

어린 시절, 'god'는 내가 처음으로 알게 된 가수였다. 그 이전에는 부모님의 영향으로 누가 부르는지도 모르는 트로트와 동요만 접해왔다. 그 시절 다들 그랬는지는 모르겠지만 진짜 어린 쪼꼬미 시절의 나는, 테크닉한 트로트에 신나게 춤추며 흥을 즐겼다고 한다. 내가 선택한 아이돌을 좋아할 때도, 내가 선택하지 않았지만, 트로트는 너무나도 자연스럽게 내 삶의 BGM처럼 함께 했다. 그래서 트로트를 좋아하는 이유를 묻는다면 제대로 답을 못하는 이유이다. 지금 생각해보면 나에게는 아이돌 노래 가사보다 트로트의 가사가 이해하기 쉬웠고, 무슨 뜻인지 모르는 영어들이 가득한 팝송보다 쉽게 들리기 때문에 그랬던 거 같다.

"그 나이에 인생을 뭘 안다고 트로트에서 인생을 느끼니?"

각자 살아가는 흐름이 다르다. 다른 걸 어떤 잣대로 휘두를 수 있을까? 이렇게도 살아가고, 저렇게도 살아가는 사람들이 공존하기에 의아해할 수는 있어도 놀리듯이 하는 말은 특정 장르를 즐겨듣는 걸, 부끄러운 거라고 얘기하는 거 같다. 순탄하지 않기에 노래 가사에서 위로를 얻으려 했고, 위로를 찾는 것과 좋아하는 것을 찾는 건 다른 부분이다.

나는 'SS501'을 데뷔 때부터 좋아하면서 20년이란 시간 동안 덕질(*덕질이란? 무언가 파고들며, 스며들듯이 좋아하는 것을 의미)을 해오고 있으며, 아이돌을 좋아한 지 20년 만에 밴드 'LUCY'에 빠져 매일매일 수십 곡의 노래를 듣고, 영상을 보면서 즐기고 있지만, 이와 다른 장르의 음악들도 함께하고 있다.

장르는 음악을 구분하는 요소일 뿐, 말 그대로 음악이다. 트로트를 듣는다는 이유로 애늙은이라는 소리를 듣는 게 억울해서 '이건 숨겨야 하는 건가?' 생각한 적도 있다. (이찬원을 좋아하면서 이제는 숨기지 않는다) 어릴 때부터, 부모님의 영향으로 자주 들었던 장르이기에 익숙하고 당연했던 부분인데……. 남녀노소 대통합으로 이끌 수 있는 많은 음악이 있지만, 그중에서도 트로트가 대표적이라고 생각한다. 대중적인 음악도 많고, 지금도 다양하게 차트를 장악하는 음악들이 있지만, 대통합으로 흥을 끌어내는 것은 트로트라고 생각한다. SG워너비, god 같은 국민가수라고 불리는 가수들의 음악을 좋아하고, 멜로디와 가사가 와닿는 걸 알게 되면 그것만 반복적으로 들었다. 노래와 가수들의 목소리가 잘 어우러지면 확 끌려서 듣기 시작하고, 그 이후에는 반복적으로 듣는 편이다. 어디선가 들리고 흐르는 음악이라면 반응하며 즐긴다.

내가 지금 덕질하고 있음을 얘기할 수 있는 그룹은 앞에서도 얘기했지만, 2005년 SS501 이후, 20년 만에 좋아하게 된 밴드 LUCY이다. 그들과 그들의 노래를 왜 이제 알았을까 싶지만, ('좋아하자면 데뷔할 때부터 좋아하자' 라는 마인드인데 그걸 깬 아티스트들이다) 이제라도 동시대를 함께 살아가고 있음을 알았으니 감사하게 힐링을 하고 있다. 20년 전, 나의 눈과 귀는 SS501을 향했었다. 앞자리가 몇 번 바뀐 후에도 설렐 수 있다는 건, 그 시절을 아낌없이 좋아했기에 어떠한 이유 없이 당연하게 함께 하는 가수다. 시간이 흘러 지금, 새롭게 다가온 내 감성과 이끌림이 LUCY와 잘 맞아서 그런 게 아닐까 하는 생각을 하게 된다. 내 마음이 아프고 가라앉아 있을 때는 어떠한 것도 감싸 안을 힘이 없었기에, 이제야 알게 된 게 아닐까? 정말 힘들 때는 노래를 찾는 것도, 듣는 것도 힘들게 느껴졌다.

이 글을 쓰고 있는 순간에도 그 시절, 좋아했던 노래들을 선곡해서 반복적으로 듣고 있다. 소나무 같은 노래들이지만 시간이 지난 후, 들어도 여전히 끌어당기는 힘이 있어서 그냥 좋다.

목소리가 악기인 사람들을 좋아하는 건지, 그냥 좋아서 좋아하는 건지, 둘 다라서 좋아하는 건지도. 그 시절, 그 순간을 떠올리게 하는 노래는 분명 존재하니까 말이다. 시간이 흘러 그 노래를 매일 듣지 않아도 어쩌다 생각나서 듣게 되면 추억 여행, 시간 여행을 하며 휴식을 취하기도 한다. 노래에서 받는 잔잔한 위로는 가만히 음악만 들어도 좋고, 바쁘게 뭔가를 하면서 들어도 힐링 그 자체로 여유를 만들어준다.

물론 나는 그렇다고 얘기하는 부분이란 것! 내가 나고 자란 지역이 친척들과 거리가 있다 보니 친척들을 만나러 가려면 장거리를 떠나야 하기에 신나는 트로트는 필수! 정말 익숙하게 접한 장르다.

나이 때문에, 장르 때문에 구분을 하는 거라면 굳이? 젊은이와 애늙은이라는 구분까지도?
굳이? 없는 장르를 만든 것도 아니고.
없는 나이를 만든 것도 아닌데 굳이 그렇게 색안경으로 바라볼 필요가 있을까 싶어진다. 서로 다르지만 익숙한 장르들이 존재하고, 그것들을 함께 하는 것만으로도 행복이지 않을까?

무조건 특정 장르여야만 하고, 그 장르만 듣는 것도 아니다. 그때그때 기분에 따라 듣는 장르가 발라드일 수 있고, 밴드 음악이 될 수 있고, 댄스 음악일 수 있고, 트로트가 될 수 있다. 익숙해서 더 자주 찾아 듣는 음악은 분명 존재하지만, Only 하나뿐이라고 단정 지을 수 있을까?

정말 노래가 좋아서 가수를 좋아하게 될 수도 있고, 가수가 좋아서 그 가수가 부른 노래가 좋아질 수 있다.

몰랐던 노래를 리메이크로 들을 수 있게 되는 것처럼 곡의 멜로디가 좋아서도 될 수 있고, 곡의 가사가 좋아서, 곡을 만든 사람이 좋아서, 음악을 접하게 되는 계기가 되기도 한다. 무엇을 듣던 내가 좋아서 듣고 있는 장르를 가볍게 얘기하는 것도, 무겁게 바라보는 것도 우습지 않을까?

어떤 장르여도 K-POP이라 불리는 우리의 음악이고, 내가 좋아하는 것이니 부끄러운 일도 아니며, 그걸 굳이 강요할 수 있는 부분도 아니다.

내가 듣는 음악이 나의 장르라고 얘기하고 싶고, 좋아할 수 있는 음악을 들려주는 가수들은 나를 몰라도 나는 아니까. 동시대를 살아가며 음악으로 알게 된 것도 크나큰 행복이기에, 나는 나의 글로 전하고 싶다.

동시대를 함께 살아갈 수 있어서 고맙다고, 음악을 통해 목소리와 감동을 전해줘서 감사하다고, 그대들의 팬이라서 더할 나위 없이 행복하다고. 이렇게 나에게 힐링을 전해주듯이, 조건 없이 응원하고 좋아하는 팬이 있다는 기쁨을 느끼고, 기억해줬으면 좋겠고, 건강하게 오래 활동해주셨으면 좋겠다는 마음뿐이다.

"저는 별다른 일이 생기지 않으면 한번 팬이 된 이상, 쭉 팬을 한다는 마인드를 기본값으로 두고 시작합니다. 덕질에 GO는 있어도 BACK은 없다! 한번 팬은 영원한 팬입니다!"

드리워진 어둠

두려움이 존재한다.

과일을 처음 깎았던 어린 시절부터 지금까지 나에게 요리는 스트레스를 푸는 시간이자 편안함을 가져다주는 시간이다. 누군가 시켜서 하는 게 아니라, 내가 하고 싶어서 할 때 제일 행복하다.

마찬가지지만 음악을 듣고 부르는 것도, 운전하기 이전부터 하던 스트레스 해소 요법이다 보니 이제는 다 할 수 있다는 즐거움이 공존한다.

날씨 좋은 날, 음식을 해놓고 차를 끌고 나가서 창문을 열어두고 좋아하는 음악들을 들으며, 드라이브! 찢어지게 즐거운 최고의 날이다. 내가 좋아하는 모든 요소가 다 안겨진 기분이랄까?

나는 초등학교 입학 전부터 과일을 깎았지만, 항상 칼을 쓸 때 두렵고 무섭다. 자려고 누웠을 때, 괜히 그 칼의 날카로움에 대한 두려움이 나타나기 때문이다. 운전도 항상 안전 운전을 했음에도 혹시나 하는 마음에 사로잡히기도 한다.

시간이 지나면 익숙해진다는 말이 제일 어려운 거 같다. 일말의 긴장은 있어야 언제나 조심하니까. 자연스럽게 익숙해짐 속에 긴장감이라는 잔잔한 파동을 일으켜야 균형을 맞출 수 있다고 느낀다. 운전을 처음 했던 그 날이 문득 떠오른다. 면허를 따고 혼자 도로에 나갔던 날, 집에 와서 누웠더니 오른쪽 다리가 후들거리면서 '다시는 운전하기 쉽지 않겠다.' 하며 애꿎은 이불만 뻥뻥 찼었다. 두려움은 시간이 지나면 달라질 거라고 하지만, 한 번의 면허증을 갱신한 지금까지도 편하게 운전한 적이 없다. 편한 마음으로 도로에 나서는 순간, 긴장한다. 마음은 편해도 운전대를 잡은 손과 다리와 눈은 집중 또 집중해야 하니까.

일상의 모든 것들도 마찬가지다. 두려움 때문에 일어나지도 않은 모든 것에 불안할 때가 있다. 하루하루 사소한 두려움을 가진 채 늘 살아간다. 그런 두려움으로 인해 더 조심하게 되고, 잠들기 전에 이런 두려움을 느끼고 나면, 꿈자리도 심란해져서 자는 것도 오래 걸려 힘들어진다. 그렇게 어찌어찌 자고 일어나면 두려움을 떨치려고 괜히 더 움직인다. 차를 몰고 나가기도 하고, 걸으면서 평소에 잘 찾지도 않는 달달한 스무디 한잔에 마음을 달래기도 한다. 그러면 '두려움이 좀 줄어들까?' 하는 마음으로 기도하며 걸었던 시간은 체력을 끌어 올려주었다. 과한 두려움과 아홉수라는 대 환장 파티를 말로만 들어봤지, 직접 겪으며 보내는 시간 속에 찾아오는 순간들은 나를 더 작아지게 만들었다. 모든 것에 움츠리며 작아지는 모습만 가득한 채, 두려움이 찾아와 힘들어지는 순간에 대한 대처도 그저 도피하려고만 했었다. 마주하며 이겨낼 힘조차 없었으니까.

우울증도 심해지고 모든 것에 날카로운 칼날처럼 반응하며 세상에 존재하면 안 되는 사람처럼 느껴졌던 시간이 있었다. 누굴 만나더라도 좋은 얘기가 나오지 않을 테니, 거기서 받을 미움을 먼저 생각하게 되고, 그로 인해 모든 것이 더디게 느껴졌기에 사람도 피했다. 아픔을 감추기 위해 웃기만 했고 그렇게 웃다 보면 나를 덮을 수 있을 거 같았지만, 오히려 나를 더 아프게 하는 일이었다. 텅 비어버린 공간에 웃기만 하다 더 허전해진 마음은 차디찬 공기만 맴돌고 있었고, 그 속에서 얼어붙으며 내가 나를 해칠까 두려웠다.

남에게 나의 힘듦을 감추기 위해 아등바등 견디는 모습조차 '보잘것없는 사람인가?' 하는 생각이 들면서 작아지고 있었으니까. 요즘 말로 '세상이 나를 억까한다.' 쌓이고 쌓인 고통이 와르르 터진 느낌이랄까……. 회복 시간이 없는 채로 나는 살아가기 위해 덮고 또 덮고 그렇게 쌓인 일들이 나를 울리고 상처 내고 있었다.

모든 게 예민하고 두렵고 불안하니 그냥 넘어갈 일들도 크게 다가오고 크게 반응했다. 잘하는 일들조차 남들도 다 할 수 있는 거라고, 자신을 스스로 낮추며 부정적으로만 바라보았다. 알고 있다. 회복할 시간이 없어서 생긴 마음의 병이었다는 걸. 지금 이렇게 글로 얘기할 수 있는 순간이 왔으니 잘 견뎠다고 말하고 싶다. 쌓이기만 하고 내려두고 정리할 시간이 없던 것들이, 시기적으로 맞물렸을 뿐이었다고. 지금까지 힘들지 않았던 시간은 없지만, 약을 먹어야 할 시간도 없었다. 자신감 있게 시작했던 일조차 두려움에 아팠고, 내가 똑같이 하면 유독 다르게 보이는지 딛고 일어날 힘조차 없었다.

잘하던 것조차도 작아진 마음으로 인해 불필요한 긴장을 하며, 여유마저 없어졌다.

사실 4번째 책인 이 안에, 이 글을 담고 있는 순간에도 두렵다. 잘하고 있는지 수없이 수많은 질문을 던지고 있다.

내가 잘 쓰고 있는지에 대해 대답을 해줄 사람이 없다는 걸 알면서도 자꾸만 던지게 된다. (답정너를 정해두지도 않고 수없이 던지는 채찍이랄까) 잘하는 걸 하고 있음에도 수없이 질문을 던진다. 제대로 나타내야 하는 창작물이기에, 나의 강점이 무엇인지도 알고 어떻게 담는지 알면서도 더 나아가야 하기에, 담금질하게 된다. 담금질을 많이 하는 걸까? 반갑지 않은 슬럼프가 인사한다. 멈췄다. 나를 더 갉아먹을 시간일 거 같아서 멈췄다. 새로운 부분을 채우고 만들기 위해서 어떤 부분을 다듬어야 할지 들여다본다. 그렇게 또다시 나의 강점, 장점이 무엇인지 찾고 질문하게 된다.

100가지를 다 잘하며 사는 건 기계로서 입력된 출력이라고 생각하기에 피해를 주지 않는 실수는 과정이며, 그날의 컨디션에 따라 같은 일의 결과가 달라진다는 것도 알고 있다.

부럽고 부러워할 수 있다. 남의 떡이 더 커 보일 수 있다. 내가 작다고 느낄 수 있다. 어떤 순간에도 나를 놓지 말자. 놓는 순간 지금까지 버텨온 시간이 다 물거품 되어 우물에 고여버린다. 바다로 흐를 수 있는 자신의 능력을 우물에 가두진 말자. 우물 안 개구리가 탈피해서 나왔으니 아직도 우물 안 개구리라고 생각은 하지 않았으면 좋겠다. 자랑스럽고 멋진 사람이 따로 있을까? 누가 뭐라고 할까? "네가 노력을 덜 해서"라는 말이 남에게서 쉽게 나올 수 있는 말일까? 공동작업을 하는 부분에서는 그렇게 느낄 수 있지만, 각자 노력한 결과를 모아두고 봤을 때 개개인의 노력은 무엇으로 값을 매길 수 있을까? 각자의 시간에서 비난과 칭찬은 혼자만 할 수 있는데 말이다.

"노력했으니 이만큼, 여기까지 왔다."라고 말해줄 수 있는 사람이면 안 되는 걸까? 잘못한 걸 칭찬하라는 게 아니다. 무조건 해야 한다는 것보다 "더 잘 할 수 있다."라는 말이 그렇게도 무겁고 어려운 말일까? 처음이라서 겁나고 두려운 건 뭐든 처음이기에 그럴 수 있고, 어떤 일이든 익숙해지고 자연스러워지면 실수도 사라지고 완성된 결과물을 낼 수 있다. 제대로 알려주지 않고 처음부터 다 잘하길 바라는 건 시작을 부정적으로 바라보게 만들며, 두려움을 키우는 지름길이 된다. 같은 일을 하면서 기계처럼 Ctrl + C, Ctrl + V로 숨 쉬고 숨 돌리는 시간까지도 같기는 힘들다. 같은 행동을 할 수 없다는 뜻이다.

스스로 갖는 두려움과 남이 만든 두려움은 이겨낼 힘과 트라우마로 남는 것으로 완전히 다르다. 스스로 더 성장하기 위해 갖고 있어야 할 두려움과 걱정은 양분이 되어 클 수 있는 강인한 힘이 될 가능성을 높여준다고 느낀다.

힘들었던 시간이 아무것도 아니라고 말하는 힘도 내가 만든다.

주변의 도움도 내가 힘이 있어야 요청할 수 있고, 누군가에게 도움이 될 수 있을 만한 힘도 내가 가지고 있어야 한다. 들이닥친 어둠이라는 이불을 잘 버렸다고 얘기할 수 있는 지금도 마찬가지다. 그 순간의 두려움을 떠올리고 싶지 않지만, 무엇이 나를 아무것도 보이지 않게 만들었는지 생각을 할 시간을 줬다고 그렇게 덮어본다. 아프지만 나약하지 않았고, 새로운 양분을 찾아 더 나은 나를 만들었다고 얘기할 수 있다. 힘들었다. 그 해가 정말 힘들었다고 덤덤하게 얘기한다. 힘들지 않은 사람이 없다는 뜻이 아닌 나도 힘들었고, 힘들었다고 얘기는 할 수 있지 않은가. 무언가 때문에 힘들었다는 게 아닌, 그냥 그 순간이 힘들었다고. 좋은 것만 얘기하기엔 모두가 좋은 일만 매일 겪지 않으니까 무서웠고, 두렵고, 힘들다고 하는 얘기가 무조건 부정적이지만은 않다고.

이렇게 말 할 수 있는 힘도 긍정적이고 행복일 수 있다고 말하고 싶다.

두려워도 주저하지 않고 열심히 달리고 있는 내가 멋지고 잘 지내고 있다고, 나 그리고 우리에게 얘기해주고 싶다.

"오늘의 우리를 응원해, 멋지게 살고 있다!
어제의 우리도 멋졌고, 오늘의 우리도 멋지고
내일의 우리도 멋질 거야. 응원해!"

「　　　　　　　　」

꼭 넣어야 할까?
넣어야만 하는 강박관념일까?
꼭 채워야만 답일까?
그게 정말 정답일까?
수학 공식처럼 채워야 하는 답과 풀이일까?

풀이가 없다면 답이 맞아도 답으로 인정해주지 않던 서술형 문제처럼 다 풀어야 할까? 그대로 비워둘 수는 없을까? 그 공간에서 다양한 답이 하나의 답으로만 나와야 하는 이유까지 다시
「　　　　　　　　」으로 남았다.
이렇게 저렇게 입맛에 맞는 답을 붙이고 그렇게 만든다. 「　　　　　　　　」이 정답이 될 수 있고 고정적이지 않으며 무궁무진하게 담는 것도 정답이 될 수 있다고. 복수의 답이 나올 수 있고 0, 1처럼 50%의 확률이 답일 수도 있다.

내가 글을 쓸 때 처음부터 제목을 두지 않는 이유이다. 책이라는 완성의 결과물을 만들어 내야 하므로, 제목을 붙이는 시간이 글을 담는 시간보다 오래 걸린다. 그렇다고 SNS에 사진과 작업해서 올리는 글들이 완성이 아니란 건 아니다. 그것 또한 완성된 결과물이다. 글에 맞는 사진들을 고르고 폰트, 글자 색까지 작업 하는 모든 일로서 완성된 결과물이다. 책과 SNS에 올리는 느낌이 다를 뿐. 제목이 비워진 글을 담은 채, 함께 만들어가는 시로 책을 만들까 하는 생각도 수없이 했었다. 4권의 책을 준비하는 동안, 매번 하는 생각이랄까……. 난 글을 담을 뿐 제목으로 정해진 이야기로 만들고 싶지 않을 때도 있기에, 매번 반복적인 고민을 하고 있다.
'다르게도 흐를 수 있는 글이 내가 정한 제목으로 너무 하나로 정해지지는 않을까?' 하는 고민을 말이다.

하루하루 살아가는 삶 자체가 「 」이지 않을까. 새롭게 시작하는 하루 앞에 채워야 하는 하루의 할당량이 있을 수 있고, 없을 수 있다. 그걸 채우거나 비우거나. 자극을 받아 채울 때도 있고, 자극을 받아 버려야 할 때도 있다. 남과 비교하는 게 그리 좋지는 않으니 채우지 않는다고 실패자라는 생각은 하지 않았으면 좋겠다. 악용하면 안 되지만 내가 할 수 있는 선에서의 채움과 비움은 좋은 정리이자 자극이다. 주변의 좋은 자극은 원동력이 되어 내가 하루에 채우려고 둔 「 」이 공간을 채우는 힘이 되고, 비우는 힘이 된다. 채워야 한다는 것도 강박일 수 있다고. 가물어진 땅에서 옹달샘을 찾듯이 늘 무언가 찾는 삶을 살고, 채우고 비우는 삶을 산다. 가물어서 힘들고, 너무 많은 비가 와서 힘들고 뭐든 양쪽의 균형이 맞아야 편하고 즐거워진다.

한쪽으로 치우치면 그거대로 즐기는 사람도 있지만, 힘들어하는 사람도 존재하기에 우리는 다 다르게 살아간다. 내 삶의 「　　　　　」을 채워 줄 사람은 나뿐이고 비울 사람도 나뿐이다.

「　　　　　」의 답은 각자가 쓸 수 있으며 각자가 채우지 않아도 된다. 답이 정해진 곳에서 살아갈 때도 있고, 정해지지 않는 곳에서 살아가기도 한다. 정해진 답이 있고 풀이가 있는 곳에서는 「　　　　　」을 채워야 한다. 아니면 틀린 거니까. 틀린 답 앞에서 서성이는 것보다, 맞춰가면서 다른 걸 채우는 즐거움도 그 자체로 즐길 수 있으니까.

나는 얘기한다. 글에 제목이 정해져 있지만 내가 글로 담을 때 쓴 느낌으로만 두고 싶지 않다고. 내가 담은 글들에 다른 사람의 생각과 흐름이 묻으면 더 풍성하게 빛날 수 있으니까 얼마나 좋은가. 나는 좋다.

이러한 이유로 글을 써둔 다음, 제목을 맨 마지막에 담는다. 제목도 중요하지만 담고자 하는 글이 더 중요하다고 생각하며, 제목에 따라 글의 느낌이 바뀔 수 있기 때문에, 신중하고 깊은 고민을 할 수밖에 없다. 그래서 고민을 하다 내 생각을 담으며, 이 글의 제목은 비워뒀다. 언젠가 시의 제목도 비워둘 힘이 발휘되어, 나의 글을 읽는 독자들이 채워주며 완성되는 글들만 담는 날을 꿈 꿔본다. 지금 비워둔 제목으로 내 생각이 잘 전달되기를 바라며 언젠가 제목 없이 담은 시들로 인사하는 날을 위해 다양한 아이디어를 떠올려본다.

하늘에 띄우는 조각구름 I _1
(글과 나의 연결고리)

"넌 글을 왜 써?"

답을 하지 못했다. 정말 생각해 본 적 없다. 어린 시절로 돌아가서 생각해보면, 나는 책과 함께였으며, 그냥 당연한 것이었다. 만화책도 아닌 소설책이 친구였다. 만화를 보면 그림만 보고 글을 읽지 않는다는 부모님의 교육방식이 지금의 나를 만들었다고 해도 과언이 아닐 정도다. 나에게 만화책은 여전히 다섯 손가락에 꼽을 정도로 제대로 읽어본 적이 없다.

그렇기에 "왜"라는 것에 대해서 물음표를 띄운 적이 없었다. 너무나도 당연하게 하고 있었으니까. 한 분을 꼽아보자면 첫 개인 저서인 〈노을이 앉은 창문〉 속 '하늘에 띄우는 조각구름Ⅰ'의 주인공이시자, 초등학교 1학년 담임이셨던 "최 기영 선생님" 영향이라고 얘기할 수 있다.

선생님 덕분에 버킷리스트에 넣었던 것 중 하나가 나의 책을 내는 것이었다. 2018년 〈나, 봄타는 걸까?〉를 시작으로 벌써 6년 동안 4권의 책을 출간하며 나의 글들이 세상에 빛을 보고 있다. 나의 책을 출간하며 제일 먼저 들었던 생각이 '지금 이렇게 책을 낼 수 있도록, 글을 쓸 수 있도록 해주신 선생님은 하늘에 계시는데……. 선생님께 나의 책을 전해드리고 싶은데 그럴 수가 없네.' 하는 슬픔으로 바뀌었었다. 받아쓰기, 독후감을 누구보다 중요하게 여기셨던 선생님. 교실 뒤편 환경 정리판에 수없이 올라가는 아이들과의 독후감 스티커 전쟁을 이끄신 선생님. 누구보다 아이들에게 정이 많으신 선생님이셨다. 갓 입학한 초등학교 1학년 아이들을 데리고 학기 중에는 글을 익히는 것에 중점을 두셨다. 방학 기간에는 시간이 되는 아이들을 아침 해가 뜰 6시~7시 사이에 불러 운동장과 산에서 뛰게 하신 애정도 있으셨다.

그런 추억을 남기신 채, 내가 성장하는 사이에 선생님은 떠나셨다. 종종 소식을 전해 듣긴 했지만 성장하고 살아가는 시간에 쫓겨 뒤늦게 선생님과의 이별을 접하고 놀랐었다. 그 이후, 출간을 준비하는 순간마다 선생님을 떠올리게 된다. 호랑이 선생님으로 불렸지만 처음 학교라는 곳에 오는 아이들을 누구보다 따뜻하게 챙겨주셨던 선생님이셨다. (나에게는 무섭지만 따뜻하게 대해주셨던 기억으로 남아버렸다)

이렇게라도 나의 재능을 만들어주셔서 감사하다고 인사드리고 싶은데, 이제는 하늘을 올려다봐야만 할 수 있다.

'하늘에 계신 선생님께서 내 이야기를 들어주실까? 선생님이라면 들어주시겠지?' 괜히 하늘을 보며 자문자답 해 본다. 선생님의 어린 제자가 본인의 글을 담아 책으로 빛을 띄웠음을 알고 계신다면, 지금보다 더 풍부한 감성을 채워주실 것만 같다.

애써왔던 시간은 너무나도 늦어버렸다고, 왜 그리 일찍 가셨는지 원망도 해 보지만, 닿지 않을 거리이기에 글로 선생님을 향한 그리움을 녹인 채 써 내려간다. 책을 가까이 할 수 있게 이끌어주신 선생님이시자, 사회라는 첫 발자국의 시작을 알려주신 분이라서 더 그리워진다. 선생님께 드리고 싶은 나의 글……. 정말로 선생님께서 어떤 얘기를 해주실지 듣고 싶은데 이젠 들을 수 없다. 전하고 싶고, 보여드리고 싶은 마음을 글로 담으며 닿을 듯 말 듯 먼 거리에 있는 선생님께 전해봅니다.

2001년 선생님의 어린 꼬마 제자였던 제가,
2024년 4번째 책을 통해 하늘에 계신 선생님께
외쳐봅니다. 아직도 그 당시 선생님 나이보다
많이 어린 나이지만, 20대 중반부터 30대
초반까지 제가 쓴 4권의 책이 빛을 보며 읽히고
있습니다. 선생님과 함께했던 일화를 글로 담아
기억할 수밖에 없어서 가슴 아프지만,
이렇게라도 담을 수 있어서 행복해요.
조금만 더 기다려주셨다면 좋았을 텐데,
조금만 더 빨리 성장했다면 좋았을까,
아쉬움 가득 담긴 그리움만 흘러넘칩니다.
그래도 하늘에서 보고 계실 거라는 마음 하나로
또 전합니다. 이정표 없는 길 위에서 걷고 뛰고
쉬면서 그렇게 나아가는 와중에도, 선생님을
떠올리고 있습니다.
감사했던 은사님, 나중에 저 한번 꼭 안아주세요.
그립습니다. 변하지 않을 조각구름 같은 선생님.

책을 담으며

'웃는 게 잘못된 게 아니라고 말하고 싶다.
우울함이 잘못된 게 아니라고 말하고 싶다.'

누구나 겪는 감정들을 틀렸다고 말하는 게 틀린 거라고 이 책을 통해 얘기하고 싶었습니다.

저 또한 모든 사람 앞에서 웃기만 하지 않으니까요. 처음부터 웃음을 피웠던 곳에서는 당연하듯이 웃음을 장착하고 시작하지만, 그 속에서 계속 웃기만 할까요? 아니에요. 다양한 표현들로 상황에 맞게 감정 표현을 합니다. 웃음장벽 제로라고 하는 사람들도 있고, 강박증을 갖고 있다고 하는 사람들도 있고, 누구보다 진중하다고 하는 사람들도 있고, 다양하게 있으니까요. 사람이 하나의 특징만 갖고 살아갈 수 없으니, 여러 사람 속에서 다양한 내 모습이 나오는 것이라고 얘기하고 싶어요. 어떻게 매일 즐거울 수 있을까. 어떻게 매일 힘들기만 할까. 롤러코스터를 타는 매일 매일을 이제야 즐기기 시작했습니다.

그전까지는 좋았다가 힘듦이 찾아오면 극도의 스트레스로 작용해서 우는 것마저 힘들었던 때가 있었습니다. 지금은 '좋았으니 이 정도는 그냥 넘기면 돼. 그럴 수 있지. 뭐 어때.'하면서 힘든 순간이 찾아와도 조금은 즐기게 되었어요. 4번째 책이지만 이전 책들을 출간하고 나면 늘 그랬어요. "이번이 마지막일 수 있어요, 다음 책이 또 나올지 모르겠어요." 네, 또 냈습니다. 3번째 책으로 정말 끝이 아닐까 했는데 4번째 감성을 담은 책이 빛을 보게 되었습니다. 몰랐어요. 내일도 모르는 하루인데 다시 글을 담고 책으로 빛을 보게 되는 순간이 또 올 거라는 생각은 하지 못했어요. 예의상일지도 모르지만 만났을 때, "글은 쓰고 있어? 다음 책은 언제야?"라고 물어 봐주시는 그 한마디 한마디들이 원동력이 되어 금쏭의 책이 나올 수 있었다는 것. 그건 언제나 변하지 않아요. 완벽은 없으니 열심히 완성해낸 것이 더 중요하니까요.

오로지 나만을 위해 담는 글이라면, 연말에 포토북으로 만들어서 간직해도 됩니다. 오랜 노력을 담아 작품으로 만들어 내는 과정은 나를 위해서만 할 수 없는 완성이라는 시간입니다. 한 분이라도 저의 글을 기다려주신다면 어떻게든 저의 글로 인사를 드릴 수 있도록 노력하겠다는 생각은 6년 전이나 지금이나 바뀌지 않았습니다.

저만 그렇게 생각하는 줄 알았는데 어떤 아티스트가 얘기했어요. 그걸 보고 저와 같은 마음이라는 거에 소름 돋으며 놀랐어요.

"만든 사람이라고 그 작품의 정체성을
고정시킬 수 없다."

책에 사인할 때 적는 멘트 중 '제 책에 발자취를 남겨주셔서 감사합니다.'가 있습니다. 제가 생각한 글에 각자가 붙여주는 다른 감성과 새로운 글의 방향이 저의 글을 더 풍성하게 만들어준다고 생각하거든요. 그래서 제 글을 읽는 분들의 발자취 하나하나가 소중합니다. 정말 감사합니다.

제가 담은 작품을 각자의 감성으로 표현해서 알려주실 때, 그걸 보는 즐거움은 오로지 작가로서만 느낄 수 있는 행복 같아요. 정말 감사하게 생각하고 있습니다. (첫 번째 책을 냈을 때, DM으로 감사 연락해주신 분의 메시지도 여전히 기억하고 있어요:b)

3번째 책을 출간하고 작년 한 해 동안 담았던 글을 다시 옮기면서 '지금 이렇게 담으려고 해도 못 담을 글을 저 당시에 썼다고? 소름 돋네.' 할 정도였습니다. 아팠어도 잘 견뎌왔기에 웃으며 지낼 수 있는 거라고……. 힘든 순간보다 내가 보고 느끼며 즐기는 순간들이 더 많다고. 우리가 사는 하루를 쪼개봐도 15분 후, 1시간 후에 어떤 일이 벌어질지 아무도 몰라요. 그렇게 우리는 이정표 없는 길을 걸어가고 있습니다.

그 길 위에서 만난 제 글이 반가웠길 바라며, 저도 다시 길을 나서봅니다.

이 글의 마지막까지 읽어주셔서 감사합니다.

또 만날 수 있기를 바라며:D